大家小书

南宋词境浅说

俞陛云 著

北京出版集团公司
北京出版社

图书在版编目（CIP）数据

南宋词境浅说 / 俞陛云著．— 北京 ：北京出版社，2016. 7
（大家小书）
ISBN 978-7-200-12080-6

Ⅰ. ①南… Ⅱ. ①俞… Ⅲ. ①宋词—诗词研究—南宋
Ⅳ. ①I207. 23

中国版本图书馆CIP数据核字（2016）第076994号

总策划：安　东　高立志　　责任编辑：乔天一

· 大家小书 ·
南宋词境浅说
NAN SONG CIJING QIANSHUO
俞陛云　著
*
北京出版集团公司
北　京　出　版　社　出版
（北京北三环中路6号　邮政编码：100120）
网　址：www.bph.com.cn
北京出版集团公司总发行
新　华　书　店　经　销
北京华联印刷有限公司印刷
*
880毫米×1230毫米　32开本　10印张　164千字
2016年7月第1版　2018年5月第2次印刷
ISBN 978-7-200-12080-6
定价：38.00元
质量监督电话：010-58572393

序　言

袁行霈

“大家小书”，是一个很俏皮的名称。此所谓“大家”，包括两方面的含义：一、书的作者是大家；二、书是写给大家看的，是大家的读物。所谓“小书”者，只是就其篇幅而言，篇幅显得小一些罢了。若论学术性则不但不轻，有些倒是相当重。其实，篇幅大小也是相对的，一部书十万字，在今天的印刷条件下，似乎算小书，若在老子、孔子的时代，又何尝就小呢？

编辑这套丛书，有一个用意就是节省读者的时间，让读者在较短的时间内获得较多的知识。在信息爆炸的时代，人们要学的东西太多了。补习，遂成为经常的需要。如果不善于补习，东抓一把，西抓一把，今天补这，明天补那，效果未必很好。如果把读书当成吃补药，还会失去读书时应有的那份从容和快乐。这套丛书每本的篇幅都小，读者即使细细地阅读慢慢地体味，也花不了多少时间，可以充分享受读书的乐趣。如果把它们当成补药来吃也行，剂量小，吃起来方便，消化起来也容易。

我们还有一个用意，就是想做一点文化积累的工作。把那些经过时间考验的、读者认同的著作，搜集到一起印刷出版，使之不至于泯没。有些书曾经畅销一时，但现在已经不容易得到；有些书当时或许没有引起很多人注意，但时间证明它们价值不菲。这两类书都需要挖掘出来，让它们重现光芒。科技类的图书偏重实用，一过时就不会有太多读者了，除了研究科技史的人还要用到之外。人文科学则不然，有许多书是常读常新的。然而，这套丛书也不都是旧书的重版，我们也想请一些著名的学者新写一些学术性和普及性兼备的小书，以满足读者日益增长的需求。

“大家小书”的开本不大，读者可以揣进衣兜里，随时随地掏出来读上几页。在路边等人的时候，在排队买戏票的时候，在车上、在公园里，都可以读。这样的读者多了，会为社会增添一些文化的色彩和学习的气氛，岂不是一件好事吗？

“大家小书”出版在即，出版社同志命我撰序说明原委。既然这套丛书标示书之小，序言当然也应以短小为宜。该说的都说了，就此搁笔吧。

俞陛云释词“义”和“趣”

马东瑶

俞陛云（1868—1950），浙江德清人，字阶青，别号斐盦、乐静、乐静居士，晚号乐静老人、存影老人、娱堪老人，室名乐静堂、绚华室，近代知名学者、诗人，是清末经学大师俞樾之孙，现代著名文学家俞平伯之父。

《唐五代两宋词选释》是俞陛云编撰的著名唐宋词选本，曾以《唐词选释》《五代词选释》《南唐二主词辑述》与《宋词选释》为题陆续发表；这次前三种以《唐五代词境浅说》为名，第四种拆分为《北宋词境浅说》与《南宋词境浅说》，分别收入“大家小书”。这个选释，或者两种词境浅说，共收唐词二十三家，六十首；五代词二十五家，一百八十三首；宋词七十二家，六百六十六首。合计词人一百二十家，词九百零九首，非常丰富。

本书有着鲜明的选编特色，按俞陛云在《五代词选释·序》中所说，在于“申其义而畅其趣”。以下将就其“义”和“趣”略作申述。

俞陛云认同张惠言“寄托”说，在唐和五代词选释的两篇序中，都强调了词人“以曼辞俳体寓其忠笃悱恻之思”的特色；于具体的词作阐释中，也每每知人论世，着意申发作者翠帘红袖的书写背后的家国之思、怨悱之旨和黍离之叹。如唐代选温庭筠词最多，共十三首，又以《菩萨蛮》四首为首，在词后释读中，俞陛云指出：“张皋文云‘此感士不遇也’，词中‘青琐金堂，故国吴宫，略露寓意’，其言妆饰之华妍，乃‘《离骚》初服之意’。”不同于将温庭筠词多归于“应歌之作”的现代阐释，俞陛云将温词纳入了诗歌史的香草美人引类譬喻系统。俞氏又选张志和《渔歌子》词五首，释之曰：“自来高洁之士，每托志渔翁”；“观其每首结句，君子固穷，达人知命，襟怀之超逸可知。”在五代词中，则选冯延巳词五十首、李煜词二十七首、韦庄词十六首，同样以君国之思阐发之。如评冯延巳：“南唐末造，冯蒿目时艰，姑以愁罗恨绮之词，寓忧盛危明之意耳……旨隐而词微，其忧危之念，借词以发之。”选李煜词虽不及冯延巳多，但据王仲闻《南唐二主词校订》，李煜现存词共三十三首、附录二十首，则俞本二十七首的选目已过半数。多选李煜词，同样是因其以词抒写遭逢亡国的哀思绮恨。

在两宋词中，与现代阐释的最重苏轼、辛弃疾、李清照等不同，俞陛云选词最多的是周邦彦六十五首、张炎六十首、吴文英五十四首、贺铸四十二首，另有王沂孙、周密、史达祖等选词都在三十首以上，与苏、辛不相上下。这些词人中，除了周邦彦是俞陛云在艺术上最为看重的格律派之祖（书中引夏孙桐语将之视为“与史迁之文、杜陵之诗同为古今绝作，无与抗手者”的“词中之圣”），其他多为南宋中后期乃至易代之际的作家，俞氏每每叹息于词中的君国之思、黍离之感，其中或许有着他历经清朝覆灭、民国变乱、日人侵华等种种遭际的切身体会吧。如俞氏选遗民词人张炎的词共六十首，为南宋之冠。张炎推赏姜夔词的“清空”“骚雅”，自身词作亦多有此特色。俞陛云也提到：“玉田与姜白石齐名，世有姜张之目。”然而姜夔存词八十余首，俞氏只选了二十二首，张炎存词一百五十首，俞氏选词六十首，显然更重玉田。且他在词后释读中称张炎“佳句尚多，附录于后”，又选录了张炎十六首词中的句子，对张炎可谓格外偏爱。其缘由，除了艺术上的“雅丽”，恐与张炎词的君国之思、黍离之感有莫大关系。

至于“趣”，则是艺术表现上的佳妙之处。俞氏虽重视词中“寄托”，却并不拘泥于此，指出：“亦有返虚入浑，以无寄托为高者。”综观俞氏的词序与选释，既能在具体作品的品评中分析章法、句法和词境，将不同词家的个性风貌简语道出，又体现出对词史发展的总体把握。如俞氏论唐词，“群奉瓣香于两宋，而唐贤实为之基始”；论五代词则曰：“承六朝乐府之余响，为秦、黄、欧、晏之传薪，其文丽以则，其气高而浑，卓然风人之正轨也”；“嗣响唐贤，悉可被之乐章，重在音节谐美，不在雕饰字句。而能手作之，声文并茂。”指出两宋词是词史上最繁盛的时期，而其奠基则在唐代，再往上追溯，则是六朝乐府，从而将词史归于大诗歌史，体现出对词的“尊体”态度。另一方面，俞氏则颇有“崇古”之意，他虽欣赏南宋格律词的精深华美，却又往往赞叹唐五代词的“格高气盛”“调高意远”，称其音节谐美，浑然天成，将之树为词的高标。

俞氏在具体作品的探讨中，亦往往贯穿其词史观，注意词在不同时期、不同作家笔下的发展流变。如评李珣《南乡子》八首：“咏南荒风景，唐人诗中以柳子厚为多。……荔子轻红，桄榔深碧，猩啼暮雨，象渡瘴溪，更萦以艳情，为词家特开新采。”指出李珣词题材内容上的新变。俞氏还常在与诗的比较中凸显其词体意识。如评吴文英《满江红·淀山湖》曰：“‘疏钟’二句极有疏隽之味，是词句，非七律中句，且系宋人佳咏，非唐人风格。”其中不仅涉及词与诗的文体差别，更涉及宋诗与唐诗的风格差别，读者若细细体味，必有所得。俞氏又引《弇州山人词评》称李璟《摊破浣溪沙》“青鸟不传云外信，丁香空结雨中愁”二句为“非律诗俊语乎？然是天成一段词也，著诗不得”，同样论及词中七言与律诗七言的差异。至于评辛弃疾《鹧鸪天》（陌上柔桑破嫩芽）一类“稼轩集中多雄慨之词，纵横之笔，此调乃闲放自适，如听雄笳急鼓之余，忽闻渔唱在水烟深处，为之意远”，则是以诗意之语写艺术之“趣”，不难看出《二十四诗品》的诗学遗韵。

本书编撰于上世纪四十年代，书中难免存在一些当时尚未发现的文献舛误。如书中所选李璟《浣溪沙》（风压轻云贴水飞）实为苏轼作，《帝台春》（芳草碧色）实为宋李甲作；李煜《长相思》（一重山）实为宋邓肃作，《浣溪沙》（转烛飘蓬一梦归）实为冯延巳作。读者当明辨之。

至于俞氏不选李清照、少选柳永，乃其词学观之体现，自是不可苛求。

2016年1月2日

目　录

曾觌　五首

金人捧露盘

庚寅岁春，奉使过京师，感怀作。

记神京，繁华地，旧游踪。正御沟、春水溶溶。平康巷陌，绣鞍金勒跃青骢。解衣沽酒，醉弦管、柳绿花红。　到如今，余霜鬓，嗟前事，梦魂中。但寒烟、满目飞蓬。雕阑玉砌，空余三十六离宫。塞笳惊起，暮天雁、寂寞东风。

纯甫为东都故老，及见当年之盛，后奉使重过京师，作此词，凄然有《黍离》之悲焉。

念奴娇　席上赋林檎花

群花渐老，向晓来微雨，芳心初拆。拂掠娇红香旖旎，浑欲不胜春色。淡月梨花，新晴繁杏，装点成标格。风光都在，半开深院人寂。　刚要买断东风，袅栾枝低映，舞茵歌席。记得当时曾共赏，玉人纤手轻摘。醉里妖娆，醒时风韵，比并堪端的。谁知憔悴，对花空恁思忆。

上阕咏花，梨杏得淡月、新晴为之装点，而标格益显，咏梨杏各得其当。“半开深院”六字真善赏花者。下阕咏花而兼怀人，花与人合写。结句笔情绵丽。

忆秦娥　邯郸道上望丛台有感

风萧瑟。邯郸古道伤行客。伤行客。繁华一瞬，不堪思忆。　丛台歌舞无消息。金尊玉管空陈迹。空陈迹。连天草树，暮云凝碧。

此词格老气清，有唐人风范。论者谓与《金人捧露盘》一调皆凄然有宗国之思。

壶中天慢

素飙漾碧，看天衢稳送、一轮明月。翠水瀛壶人不到，比似世间秋别。玉手瑶笙，一时同色，小按霓裳叠。天津桥上，有人偷记新阕。　当日谁幻银桥，阿瞒儿戏，一笑成痴绝。肯信群仙高宴处，移下水晶宫阙。云海尘清，山河影满，桂冷吹香雪。何劳玉斧，金瓯千古无缺。

此进御赏月词也。上皇览之大喜曰："从来月词，不曾用金瓯事，可谓新奇。"赐金束带、紫香罗、水晶碗。是夕登高玩月，即以此词被之管弦，隔江西兴亦闻天乐焉。纯甫为建王内知客，孝宗以其为潜邸旧人，觞咏赏锡，字而不名。纯甫恃宠，为虞允文等所劾。毛晋刻《海野词》，评此调曰："西兴共闻天乐，岂天神亦不以人废言耶？"

感皇恩　重到临安

依旧惜春心，花枝常好。只恐尊前被花笑。少年青鬓，耐得几番重到。旧欢重记省，如天杳。　绮陌青门，斜阳芳草。今古消沉送人老。帝城春事，又是等闲来了。乱红随过雨，莺声悄。

此殆放逐后重返都门而作。调倚《感皇恩》，追怀知遇，感慨系之矣。

陆游　二十一首

念奴娇　招韩无咎游金山

禁门钟晓，忆君来朝路，初翔鸾鹄。西府中台推独步，行对金莲宫烛。蹙绣华鞯，仙葩宝带，看即飞腾速。人生难料，一尊此地相属。　回首紫陌青门，西湖闲院，锁千梢修竹。素壁栖鸦应好在，残梦不堪重续。岁月惊心，功名看镜，短鬓无多绿。一欢休惜，与君同醉浮玉。

前八句皆言无咎趋朝时驰驱皇路，转眼腾霄，接以“人生难料”二句，一折到题，笔力健劲。转头处追忆旧游，别开一境，功名易老，惟有及时行乐，一醉方休耳。下阕之感叹，本上文“人生难料”句，“一尊”“同醉”，前后之结句相呼应，章法周密。无咎殆康衢误蹶，放翁特招其漫游。观“岁月”“功名”三句，言春梦易醒，而慰藉之意自见。

浣溪沙　和无咎韵

漫向寒炉醉玉瓶。唤君同赏小窗明。夕阳吹角最关情。
忙日苦多闲日少，新愁常续旧愁生。客中无伴怕君行。

首二句秀婉有致。“夕阳”句于闲处写情，意境并到。“忙日”“新愁”二句真率有唐人诗格。结句乃客中送客，人人意中所难堪者，作者独能道出之，殆无咎将有远行也。

前调

浴罢华清第二汤。红绵扑粉玉肌凉。娉婷初试藕丝裳。
凤尺裁成猩血色，螭奁熏透麝脐香。水亭幽处捧霞觞。

通首由出浴后次第写妆饰之丽，其人之妍妙自见。末句仅以捧觞作结，含情在无言处也。

浪淘沙

绿树暗长亭。几把离尊。阳关常恨不堪闻。何况今朝秋色里，身是行人。　清泪浥罗巾。各自消魂。一江离思恰平分。安得千寻横铁锁，截断烟津。

长亭把酒，自古伤离，身是行人，谁能堪此！下阕言居者、行者，同是江水量愁。铁锁横江，本以断东下之师，今以断愁来之路，句新与情挚兼之，与永叔之陌上寻人，倩他燕子；玉田之相思一点，寄与孤鸿，皆词人幽邃之思。

南乡子

归梦寄吴樯。水驿江程去路长。想见芳洲初系缆，斜阳。烟树参差认武昌。　愁鬓点新霜。曾是朝衣染御香。重到故乡交旧少，凄凉。却恐他乡胜故乡。

入手处仅写舟行，已含有客中愁思。"斜阳"二句秀逸入画。继言满拟以还乡之乐，偿恋阙之怀，而门巷依然，故交零落，转不若寂寞他乡，尚无睹物怀人之感，乃透进一层写法。

好事近

华表又千年，谁记驾云孤鹤。回首旧曾游处，但山川城郭。　纷纷车马满人间，尘土污芒屩。且访葛仙丹井，看岩花开落。

此调凡十二首，皆官待制后致仕归来所作。其中类似游仙者四首。此词用丁令威事，直以身化鹤，如庄子之以身化蝶，在空际着想，下视山川城郭，皆在尘土中，所谓不见长安，只见尘雾也。高想入云，有昌黎“举瓢酌天浆”之意。

前调

平旦出秦关，雪色驾车双鹿。借问此行安往，赏清伊修竹。　汉家宫殿劫中，春草几回绿。君看变迁如许，况纷纷荣辱。

关中自古帝王州，凡策马秦原者，黄叶汉宫，绿芜秦苑，每有怀古苍凉之慨。放翁感遗殿之消沉，思帝王之烜赫，尚结局如斯，区区一身荣辱，安足论耶？此调游览之词凡五首，惟此首发思古之幽情，笔亦有俊爽气。

鹧鸪天

懒向青门学种瓜。只将渔钓送年华。双双新燕飞春岸，片片轻鸥落晚沙。　歌缥缈，橹呕哑。酒如清露鲊如花。逢人问道归何处，笑指船儿此是家。

此作虽笔少回旋，而襟怀闲适，纵笔写来，有清空之气。“新燕”“轻鸥”二句，言心无挂碍，如鸥燕之去住无心，即景以见意也。

前调

南浦舟中两玉人。谁知重见楚江滨。凭教后苑红牙板，引上西川绿锦茵。　才浅笑，却轻颦。淡黄杨柳又催春。情知言语难传恨，不似琵琶道得真。

此在薛公肃席上逢旧时歌妓而作。质言之，不过云英重见，未免有情耳。结句乃藉琵琶传意，以纡回之笔写之，盖一落言诠，便无余味，不若空中传恨，见声音之感人。故白香山之悲商妇琵琶，不在整衣自言之际，而在急弦转拨之时，为之青衫泪湿也。

采桑子

宝钗楼上妆梳晚，懒上秋千。闲拨沉烟。金缕衣宽睡髻偏。　鳞鸿不寄辽东信，又是经年。弹泪花前。愁入春风十四弦。

放翁词多放笔为直干，此词独顿挫含蓄，从彼美一面着想，不涉欢愁迹象，而含凄无限，结句尤余韵悠然，集中所希有也。

朝中措 梅

幽姿不入少年场。无语只凄凉。一个飘零身世，十分冷淡心肠。　江头月底，新诗旧梦，孤恨清香。任是春风不管，也曾先识东皇。

首二句咏花而见本意，余皆借梅自喻，飘零孤恨，其冷淡绝似寒梅。但梅花虽未逮秾春，而东皇先识，胜于百花，尽有江上芙蓉，一生未见春风者。放翁受知于孝宗，褒其多闻力学，授枢密院编修。虽出知外州，书生遭际，胜于槁项牖下多矣。故其结句自伤亦以自慰也。

前调

怕歌愁舞懒逢迎。妆晚托春酲。总是向人深处，当时枉道无情。　关心近日，啼红密诉，翦绿深盟。杏馆花阴恨浅，画堂银烛嫌明。

一片凄怨之意，写景在迷离之际，含思在幽渺之中，复以妍辞出之。杨升庵谓其“纤丽处似淮海”，殆谓《采桑子》及此调也。

蝶恋花

陌上箫声寒食近。雨过园林，花气浮芳润。千里斜阳钟欲暝。凭高望断南楼信。　海角天涯行略尽。三十年间，无处无遗恨。天若有情终欲问。忍教霜点相思鬓。

前半首写景，略见怀远之意。清丽而兼倜傥，颇类《六一词》。后半首写怀，浪迹天涯，历三十年之久，而皆留遗恨，其平生潦倒可知。而天公仍不见怜，任其秋霜满鬓。集中《鹧鸪天》词所谓“原知造物心肠别，老却英雄似等闲”，秋肃春温，天意本视同平等，则此老呵壁问天，果何益耶？

水龙吟　荣南作

尊前花底寻春处，堪叹心情全减。一身萍寄，酒徒云散，佳人天远。那更今年，瘴烟蛮雨，夜郎江畔。漫倚楼横笛，临窗看镜，时挥涕，惊流转。　花落月明庭院。悄无言、魂消肠断。凭肩携手，当时曾效，画梁栖燕。见说新来，网萦尘暗，舞衫歌扇。料也羞憔悴，慵行芳径，怕啼莺见。

上阕“酒徒云散”三句以三层意叠用之，便觉气厚而情深。亦有于三句用侧笔，以见纡回之致者，皆词家之句法也。若絮飞春尽，天远书沉，日长人倦，则三句写六层意，更为精粹。放翁诗集中有“酒徒云散无消息，水榭凭阑泪数行”句，即此上阕之意。其后“凭肩携手”三句承上之“佳人天远”而言。芳尘凝榭，深锁画楼，观“栖燕”“啼莺”句，殆恐旧日啼莺，曾见其梁燕双栖，今芳径重来，燕双而人独也。

汉宫春　初自南郑来成都作

羽箭雕弓，忆呼鹰古垒，截虎平川。吹笳暮归，野帐雪压青毡。淋漓醉墨，看龙蛇、飞落蛮笺。人误许，诗情将略，一时才气超然。　何事又作南来，看重阳药市，元夕灯山。花时万人乐处，欹帽垂鞭。闻歌感旧，尚时时、流涕尊前。君记取，封侯事在，功名不信由天。

人当少年气满，视青紫如拾芥，几经挫折，便颓废自甘。放翁独老犹作健，当其上马打围，下马草檄，何等豪气！迨漫游蜀郡，人乐而我悲，怆然怀旧，而封侯夙志，尚欲以人定胜天，可谓壮矣。此词奋笔挥洒，其才气与东坡、稼轩相似。汲古阁刻其词集，谓“超爽处更似稼轩耳”。

月上海棠

斜阳废苑朱门闭。吊兴亡、遗恨泪痕里。淡淡宫梅，也依然、点酥翦水。凝愁处，似忆宣华旧事。　行人别有凄凉意。折幽香、谁与寄千里。伫立江皋，杳难逢、陇头归骑。音尘远，楚天危楼独倚。

词为成都蜀王旧苑而作。中有古梅二百余本。不言过客之凭吊兴亡，而凝愁忆旧，托诸宫梅，词境便觉灵秀。下阕因梅花而忆远人，与本题怀古，全不相属。故转头处用“别有凄凉意”之句以申明之，以下即畅发己意矣。蜀王故苑，放翁入蜀时，老木颓垣，尚存残状。余于光绪间入蜀，过成都城外昭觉寺，即词中宣华苑故址，摩诃之池，迎仙之观，及古梅百本，遗迹全消，所余者惟柱础轮囷，散卧于茂林芳草间。词中所谓凭吊朱门斜日，又隔悠悠千载矣。蜀中燕王故宫，海棠极盛，为成都第一。放翁犹及见之，赋《柳梢青》一首，不及此词之佳。

真珠帘

山村水馆参差路。感羁游、正似残春风絮。掠地穿帘，知是竟归何处。镜里新霜空自悯，问几时、鸾台鳌署。迟暮。漫凭高怀远，书空独语。　自古。儒冠多误。悔当年、早不扁舟归去。醉下白蘋洲，看夕阳鸥鹭。菰菜鲈鱼都弃了，只换得、青衫尘土。休顾。早收身江上，一蓑烟雨。

通首大意不过言羁旅无聊，亟思归去耳。以放翁之才气，不难奋笔疾书，乃上阕以身世托诸风絮，下阕“蘋洲”三句以隐居之绝好风景，设想在抗尘走俗之前，复归到一蓑烟雨，知词境之顿挫胜于率直也。放翁生平，初无谪逐之事，而词中深感羁游，殆在任夔、严二州时所作。唐、宋人之官京朝者，出知外郡，便嗟沦谪，香山、东坡皆同此感也。

苏武慢

淡霭空濛，轻阴清润，绮陌细尘初静。平桥系马，画阁移舟，湖水倒空如镜。掠岸飞花，傍檐新燕，都似学人无定。叹连年戎帐，经春边垒，暗凋颜鬓。　空记忆、杜曲池台，新丰歌管，怎得故人音信。羁怀易感，老伴无多，谈麈久闲犀柄。惟有翛然，笔床茶灶，自适笋舆烟艇。待绿荷遮岸，红蕖浮水，更乘幽兴。

首六句写临水风物，清丽如绘。“飞花”“新燕”三句寓情于景，咏物而人在其中，顿有情致。“戎帐”句盖时正参成都戎幕也。此下因伤老而及怀友，人生知己，能有几人？当中年以后，世事变迁，故交零落，欲依依话旧，而素心人远，放翁深有此感。“柄”字韵语尤隽婉。以后六句惟有自适其乐，以遣有涯之生耳。其中“杜曲”“新丰”句怀人而兼恋阙，寄慨尤深。

洞庭春色

壮岁文章，暮年勋业，自昔误人。算英雄成败，轩裳得失，难如人意，空丧天真。请看邯郸当日梦，待炊罢黄粱徐欠伸。方知道、许多时富贵，何处关身。　人间定无可意，怎换得玉脍丝莼。且钓竿渔艇，笔床茶灶，闲听荷雨，一洗衣尘。洛水情关千古后，尚棘暗铜驼空怆神。何须更，慕封侯定远，图象麒麟。

放翁早年为秦桧所忌，后受知于孝宗，扬历中外，以宝章阁待制致仕。故起笔有“壮岁”“暮年”二语。久涉仕途，深尝甘苦，至卢生梦醒，始欠伸而起，自悔而兼自悟，“欠伸”句洵传神之笔。下阕盱衡今古，铜驼荆棘，帝室且然，又何论封侯事业！深知富贵之不如闲放，宜其以放翁自号也。

鹊桥仙

一竿风月，一蓑烟雨，家在钓台西住。卖鱼生怕近城门，况肯到、红尘深处。　潮生理棹，潮平系缆，潮落浩歌归去。时人错把比严光，我自是、无名渔父。

首三句如题之量。“怕近城门”二句未必实有其事，而可见托想之高，愤世疾俗者，每有此想。“潮生”三句描写江海浮家之情事，句法累如贯珠。“无名渔父”四字尤妙，觉烟波钓徒之号，犹着色相也。《渔父》词以张志和数首为最著，此作可夺席矣。

诉衷情

青衫初入九重城。结友尽豪英。蜡封夜半传檄，驰骑谕幽并。　时易失，志难成。鬓丝生。平章风月，弹压江山，别是功名。

集中感怀身世之作凡数见。此调仅四十余字，而豪气霜横，逸情云上。“风月”“江山”三语，尤峭劲有味。杨升庵评其词，谓“雄慨处似东坡”，此作颇近之。

范成大　六首

醉落魄

栖乌飞绝。绛河绿雾星明灭。烧香曳簟眠清樾。花影吹笙，满地淡黄月。　好风碎竹声如雪。昭华三弄临风咽。鬓丝撩乱纶巾折。凉满北窗，休共软红说。

“淡黄月”句已颇清新，更有吹笙人在花影中，风情绝妙。近人鸥堂词“月要被他，愁作酒般黄”，着意描写，不若“满地淡黄月”五字融浑。

朝中措

长年心事寄林扃。尘鬓已星星。芳意不如水远，归心欲与云平。　留连一醉，花残日永，雨后山明。从此量船载酒，莫教闲却春情。

“芳意”二句较唐人“水流心不竞”“云在意俱迟”句同就云水写怀，而别有意味。

眼儿媚

萍乡道中乍晴，卧舆中，困甚，小憩柳塘。

酣酣日脚紫烟浮。妍暖试轻裘。困人天气，醉人花底，午梦扶头。　春慵恰似春塘水，一片縠纹愁。溶溶泄泄，东风无力，欲皱还休。

上阕“午梦扶头”句领起下文。以下五句借东风皱水，极力写出春慵，笔意深透，可谓入木三分。

忆秦娥

楼阴缺。阑干影卧东厢月。东厢月。一天风露，杏花如雪。　隔烟催漏金虬咽。罗帏暗淡灯花结。灯花结。片时春梦，江南天阔。

上阕言室外之景，月斜花影，境极幽俏。下阕言室内之人，灯昏欹枕，梦更迷茫，善用空露之笔，不言愁而愁随梦远矣。

霜天晓角

晚晴风歇。一夜春威折。脉脉花疏天淡，云来去、数枝雪。　胜绝。愁亦绝。此情谁共说。惟有两行低雁，知人倚、画楼月。

此调末二句最为擅胜，若言倚楼人托孤愁于征雁，便落恒蹊。此从飞雁所见，写倚楼之人，语在可解不可解之间，词家之妙境，所谓如絮浮水，似沾非着也。

南柯子

怅望梅花驿，凝情杜若洲。香云低处有高楼。可惜高楼、不近木兰舟。　缄素双鱼远，题红片叶秋。欲凭江水寄离愁。江已东流、那肯更西流。

上下阕之后二句，高楼而移傍兰舟，东流而挽使西注，皆事理所必无者，借以为喻，见虚愿之难偿。此与前首之“两行低雁”二句，虽设想不同，而皆从侧面极力浚发，本意遂显呈于言外矣。此词载刘克庄《后村诗话》。

赵长卿　五首

临江仙　暮春

过尽征鸿来尽燕，故园消息茫然。一春憔悴有人怜。怀家寒食夜，中酒落花天。　见说江头春浪渺，殷勤欲送归船。别来此处最萦牵。短篷南浦雨，疏柳断桥烟。

长卿以宗室之贵，而安心风雅，其词以春、夏、秋、冬四景，编成六卷，为词家所希有。殆居高声远，较易流传。录其春景一首，上下阕结句皆能情寓景中。《惜香集》中和雅之音也。

水龙吟

仙源居士有武林之行，因与一二友携酒赏月，饮于县桥之中，乃即事为之词。

危楼横枕清江上，两岸碧山如画。夕烟幂幂，晚灯点点，楼台新夜。明月当天，白沙流水，冷光连野。浸阑干万顷，琉璃软皱，打渔艇、相高下。　何处一声羌管，是谁家、倚楼人也。多情对景，无言有恨，欲歌还罢。把酒临筵，阿谁知我，此怀难写。忍思量后夜，芳容不似，暗尘随马。

《惜香集》中长调，虽转折分明而少蕴蓄，此词清空一气，“阑干”“渔艇”句写水边风物如画。下阕结句愿作“暗尘随马”，似《闲情赋》之“愿在屦而为丝”，皆情至之语，誉之者谓视徽宗“则迥出云霄”。然如徽宗词之“和梦也新来不做”，其情文不让长卿也。

声声慢　草词

浓芳满地，秀色连天，和烟带雨萋萋。几许芳心，还解报得春晖。当时谢郎梦里，似殷勤、传与新诗。却为甚，动长门怨感，南浦伤离。　追想天涯行客，应解拥车轮，步步相随。惆怅如丝，正是欲断肠时。凭高望中不见，路悠悠、南北东西。春去也，怨王孙、犹自未归。

上阕运用春草故事，藻不妄抒。下阕虽咏本题，而纯从送远、怀人着笔，一气贯注，与上阕散整相间，自成章法。

虞美人　江乡对景

雨声破晓催行桨。拍拍溪流长。绿杨绕岸水痕斜。恰似画桥西畔那人家。　人家楼阁临江渚。应是停歌舞。珠帘整日不闲钩。目断征帆犹未识归舟。

偶写舟行所见，与唐人诗“正是客心孤迥处，谁家红袖倚江楼”其闲情相似。但诗则仅言倚楼人，此则并为楼中人设想。结句有温飞卿“过尽千帆皆不是”之意。前、后段贯注一气。是其胜处。

眼儿媚

楼上黄昏杏花寒。斜月小阑干。一双燕子，两行归雁，画角声残。　绮窗人在东风里，无语对春闲。也应似旧，盈盈秋水，淡淡春山。

上阕“燕子”三句写景浑成。结句“秋水”喻眼，“春山”喻眉，后人习用之，遂成俗调。在作者觅句时，固情态两得。宋词中每以柳叶喻眉，梨花喻面，与此同也。

辛弃疾　三十一首

贺新郎

把酒长亭说。看渊明、风流酷似，卧龙诸葛。何处飞来林间鹊，蹴踏松梢残雪。要破帽、多添华发。剩水残山无态度，被疏梅、料理成风月。两三雁，也萧瑟。　佳人重约还轻别。怅清江、天寒不渡，水深冰合。路断车轮生四角，此地行人销骨。问谁使、君来愁绝。铸就而今相思错，料当初、费尽人间铁。长夜笛，莫吹裂。

稼轩与陈同甫别后，意殊恋恋，往追之，雪深不得前，赋词见意。越日，同甫书来索词，两心相同，有如此者。稼轩与同甫为并世健者，交谊之深厚，文章之振奇，可称词坛瑜亮。此词为惬心之作。首三句言渊明之高逸，而以卧龙为比。如尚父之磻溪把钓，景略之扪虱清谈，避世而未忘用世也。“飞鹊”三句写景幽峭，兼有伤老之意。“剩水”二句见春色无私，不以陵谷沧桑而易态。兼有举目河山之异，惟寒梅聊可慰情耳。下阕言车轮生角，自古伤离，孰使君来，铸此相思大错。铸错语而用诸相思，句新而情更挚。通首劲气直达中不使一平笔，学稼轩者，非徒放浪通脱，便能学步也。

前调 赋琵琶

凤尾龙香拨。自开元、霓裳曲罢，几番风月。最苦浔阳江头客，画舸亭亭待发。记出塞、黄云堆雪。马上离愁三万里，望昭阳、宫殿孤鸿没。弦解语，恨难说。　辽阳驿使音尘绝。琐窗寒、轻拢慢撚，泪珠盈睫。推手含情还却手，一抹梁州哀彻。千古事、云飞烟灭。贺老定场无消息，想沉香、亭北繁华歇。弹到此，为呜咽。

稼轩曾为忠义军书记，精练甲士数千，有揽辔澄清之志。此调借琵琶以写怀。起笔“开元”句即追想汴京之盛。以下用商妇、明妃琵琶故事，藉以写怨。转头处承上阕“万里离愁”句，接以辽阳望远，慨宫车之沙漠沉沦。“琐窗”“推手”四句咏琵琶正面，中含一片哀情。转笔“云飞烟灭”句笔势动宕。结句沉香亭废，贺老飘零，自顾亦沦落江东，如龟年之琵琶仅在，宜其罢弹呜咽，不复成声矣。

前调　赋水仙

云卧衣裳冷。看萧然、风前月下，水边幽影。罗袜生尘凌波去，汤沐烟波万顷。爱一点、娇黄成晕。不记相逢曾解佩，甚多情、为我香成阵。待和泪，收残粉。　灵均千古《怀沙》恨，记当时、匆匆忘把，此仙题品。烟雨凄迷僝僽损，翠袂摇摇谁整。漫写入、瑶琴幽愤。弦断招魂无人赋，但金杯、的皪银台润。愁殢酒，又独醒。

首五字即隐含水仙神态。以下五句实赋水仙，中用“汤沐”二字颇新。“解佩”二句无情而若有情，自是隽句。下阕因水仙而涉想灵均，犹白石之《暗香》《疏影》，咏梅而涉想寿阳明妃，咏花而兼咏古，便有寄托。水仙在百花中，高洁与梅花等，而不入楚词，作者特拈出之。以下“烟雨凄迷”等句皆幽怨之音。“招魂”句非特映带上句“怀沙”，且用琴中《水仙操》，而悲愤弦断，当有蒙尘绝望之感。结句借水仙之花承金盏，联想及众皆殢酒而我独醒耳。

前调　别茂嘉十二弟

绿树听鹈鴂。更那堪、鹧鸪声住，杜鹃声切。啼到春归无寻处，苦恨芳菲都歇。算未抵、人间离别。马上琵琶关塞黑，更长门、翠辇辞金阙。看燕燕，送归妾。　将军百战身名烈。向河梁、回头万里，故人长绝。易水萧萧西风冷，满座衣冠似雪。正壮士、悲歌未彻。啼鸟还知如许恨，料不啼、清泪长啼血。谁共我，醉明月。

首三句既言鹈鴂，又言杜鹃，按鹈鴂与杜鹃实两种，见《离骚补注》。上阕叙送别，春归可伤，而别离尤苦，乃透进一层写法。观“关塞”“金阙”句，盖其弟奉使北庭。下阕因送弟，联想及当年上将专征，出师未捷，声情悲壮，但不知所指何人。谢枋得云：“（稼轩）精忠大义，不在张忠献、岳武穆下。”南宋初长驱北伐者，以武穆为最烈，“将军百战”六句，殆为岳家军而发，有袍泽同仇之感耶？“啼鸟”二句回应起笔，词极沉痛。歇拍二句归到送弟，章法完密。集中赋《贺新郎》词凡二十二调，录其精粹者四调。

念奴娇 书东流村壁

野塘花落，又匆匆过了、清明时节。刬地东风欺客梦，一枕云屏寒怯。曲岸持觞，垂杨系马，此地曾轻别。楼空人去，旧游飞燕能说。　闻道绮陌东头，行人曾见，帘底纤纤月。旧恨春江流不尽，新恨云山千叠。料得明朝，樽前重见，镜里花难折。也应惊问，近来多少华发。

客途遇艳，瞥眼惊鸿，村壁醉题，旧游回首，乃赋此闲情之曲。前四句写景轻秀，“曲岸”五句寄思婉渺。下阕伊人尚在，而陌头重见，托诸行人，笔致便觉虚灵。“明朝”五句不言重遇云英，自怜消瘦，而由对面着想，镜里花枝，相见争如不见，老去相如，羞入文君之顾盼。以幼安之健笔，此曲化为绕指柔矣。

前调　瓢泉酒酣和东坡韵

倘来轩冕，问还是、今古人间何物。旧日重城愁万里，风月而今坚壁。药笼功名，酒垆身世，可惜蒙头雪。浩歌一曲，坐中人物三杰。　休叹黄菊凋零，孤标应也有，梅花争发。醉里重揩西望眼，惟有孤鸿明灭。万事从教，浮云来去，枉了冲冠发。故人何在，长庚应伴残月。

《念奴娇》词共二十首。此作和东坡，其激昂雄逸，颇似东坡，故录之。起笔破空而来，有俯视余子之概。“药笼”三句早知身世功名，终付与酒垆药笼，直至霜雪盈头，始期思卜筑，深悔其迟也。后言黄菊虽凋，而梅花尚在，犹可结岁寒之侣。“孤鸿明灭”句有消沉今古在长空飞鸟中意。视万事若浮云，则当年一怒冲冠，宁非无谓。但此意知己无多，伴我者已如残月，为可伤耳。

水龙吟　登建康赏心亭

楚天千里清秋，水随天去秋无际。遥岑远目，献愁供恨，玉簪螺髻。落日楼头，断鸿声里，江南游子。把吴钩看了，阑干拍遍，无人会，登临意。　休说鲈鱼堪脍，尽西风、季鹰归未。求田问舍，怕应羞见，刘郎才气。可惜流年，忧愁风雨，树犹如此。倩何人唤取，红巾翠袖，揾英雄泪。

前四句写登临所见，起笔便有浩荡之气。“落日”句以下，由登楼说到旅怀，而仍不说尽，仅以吴钩独看，略露其不平之气。下阕写旅怀，即使归去奇狮卜筑，而生平未成一事，亦羞见刘郎。“流年”二句以单句旋折，弥见激昂。结句言英雄之泪，未要人怜，倘揾以红巾，或可破颜一笑，极言其潦倒，仍不减其壮怀也。

摸鱼儿

淳熙己亥，自湖北漕移湖南，同官王正之置酒小山亭，为赋。

更能消、几番风雨。匆匆春又归去。惜春长怕花开早，何况落红无数。春且住。见说道、天涯芳草无归路。怨春不语。算只有殷勤，画檐蛛网，尽日惹飞絮。　长门事，准拟佳期又误。蛾眉曾有人妒。千金纵买相如赋，脉脉此情谁诉。君莫舞。君不见、玉环飞燕皆尘土。闲愁最苦。休去倚危阑，斜阳正在，烟柳断肠处。

幼安自负天下才，今薄宦流转，乃借晚春以寄慨。上阕笔势动荡，留春不住，深惜其归，但芳草天涯，春去苦无归处，见英雄无用武之地。蛛网罥花，隐寓同官多情，为置酒少留之意。当其在理宗朝曾拥节钺，后之奉身而退，殆有谗扼之者，故上阕写不平之气。下阕“蛾眉曾有人妒”更明言之：玉环飞燕，皆归尘土，则妒人者果何益耶？结句斜阳肠断，无限牢愁，即以词句论，亦绝妙之语。《鹤林玉露》云：“词意殊怨。‘斜阳’‘烟柳’之句，其与‘未须愁日暮，天际乍轻阴’者异矣。使在汉唐时，宁不贾种豆种桃之祸哉！愚闻寿皇见此词，颇不悦，然终不加罪。”帝之宽大，过于汉唐矣。

永遇乐　京口北固亭怀古

千古江山，英雄无觅，孙仲谋处。舞榭歌台，风流总被，雨打风吹去。斜阳草树，寻常巷陌，人道寄奴曾住。想当年，金戈铁马，气吞万里如虎。　元嘉草草，封狼居胥，赢得仓皇北顾。四十三年，望中犹记，烽火扬州路。可堪回首，佛狸祠下，一片神鸦社鼓。凭谁问，廉颇老矣，尚能饭否。

此词登京口北固山亭而作。人在江山雄伟处，形胜依然，而英雄长往，每发思古之幽情。况磊落英多者，当其凭高四顾，烟树人家，夕阳巷陌，皆孙、刘角逐之场，放眼古今，别有一种苍凉之思。况自胡马窥江去后，烽火扬州，犹有余恸。下阕慨叹佛狸，乃回应上文“寄奴”等句。当日鱼龙战伐，只赢得“神鸦社鼓”，一片荒寒。往者长已矣，而当世岂无健者？老去廉颇，犹思用赵，但知我其谁耶？英词壮采，当以铁绰板歌之。

满江红　江行简杨济翁周显先

过眼溪山，怪都似、旧时曾识。还记得、梦中行遍，江南江北。佳处径须携杖去，能消几两平生屐。笑尘劳、三十九年非，长为客。　吴楚地，东南坼。英雄事，曹刘敌。被西风吹尽，了无尘迹。楼观甫成人已去，旌旗未卷头先白。叹人生、哀乐转相寻，今犹昔。

《满江红》词易于纵笔，以稼轩之才气，更如阵马风樯，但豪放则易近粗率，此作独疏爽而兼低回之思。“佳处”二句深表同情。余生平所历胜境，回味犹甘，而重游无望，知佳处径须携杖，不可使清景如追逋也。下阕非特俯仰兴亡，即寻常之丹臒未竟，已钟鼓全非者，不知凡几，真阅世之谈。“今犹昔”三字尤隽。后之感今，犹今之感昔耳。

祝英台近　晚春

宝钗分，桃叶渡，烟柳暗南浦。怕上层楼，十日九风雨。断肠片片飞红，都无人管，倩谁劝、流莺声住。　鬓边觑。试把花卜归期，才簪又重数。罗帐灯昏，哽咽梦中语。是他春带愁来，春归何处，却不解、带将愁去。

《贵耳集》云吕正己“有女事辛幼安，因以微事触其怒，竟逐之。今稼轩‘桃叶渡’词因此而作”。首三句言送别之地，后五句言别后之怀，万点飞花，离愁亦万点也。下阕明指伊人，归期屡卜，而消息沉沉，惟有索之梦中，孤灯独语，其深悔杨枝之遣耶？结处“春带愁来”三句，伤春纯是自伤。前之《摸鱼儿》词借送春以寄慨，有抑塞磊落之气；此借伤春以怀人，有徘回宛转之思，刚柔兼擅之笔也。

临江仙

金谷无烟宫树绿，嫩寒生怕春风。博山微透暖熏笼。小楼春色里，幽梦雨声中。　别浦鲤鱼何日到，锦书封恨重重。海棠花下去年逢。也应随分瘦，忍泪觅残红。

前半一片幽丽之景，以轻笔写之，而愁人自在其中。下阕始言望远怀人。歇拍二句自伤耶？抑为人着想耶？深情秀句，当以红牙按拍歌之。刘后村评其词，谓“其秾纤绵密者，亦不在小晏、秦郎之下”。此调与上之《祝英台近》，颇合后村评语。

鹧鸪天

陌上柔桑破嫩芽。东邻蚕种已生些。平冈细草鸣黄犊，斜日寒林点暮鸦。　山远近，路横斜。青旗沽酒有人家。城中桃李愁风雨，春在溪头荠菜花。

稼轩集中多雄慨之词，纵横之笔，此调乃闲放自适，如听雄笳急鼓之余，忽闻渔唱在水烟深处，为之意远。

浣溪沙　常山道中即事

北陇田高踏水频。西溪禾早已尝新。隔墙沽酒煮纤鳞。
忽有微凉何处雨，更无留影霎时云。卖瓜人过竹边村。

咏乡村风物，潇逸出尘。稼轩于荣利之场，能奉身勇退，其高洁本于天性，故其写野趣弥真也。

菩萨蛮　书江西造口壁

郁孤台下清江水。中间多少行人泪。西北是长安。可怜无数山。　青山遮不住。毕竟东流去。江晚正愁余。山深闻鹧鸪。

词仅四十四字，举怀人恋阙，望远思归，悉纳其中，而以清空出之，复一气旋折，深得唐贤消息。集中之高格也。

鹧鸪天

有客慨然谈功名，因追念少年时事戏作。

壮岁旌旗拥万夫。锦襜突骑渡江初。燕兵夜娖银胡䩮，汉箭朝飞金仆姑。　追往事，叹今吾。春风不染白髭须。却将万字平戎策，换得东家种树书。

金国初乱，稼轩率数千骑，渡江而南，高宗录用之。归田后有客过访，慨然谈功名，因追述少年时事，有英雄种菜之感。生平宦游南北，江统平戎之策，橐驼种树之书，一身兼之。词中不言何去何从，观其以家事付儿曹，赋《西江月》词以见志，有“宜醉宜游宜睡”“管竹管山管水”之句，知其天性淡泊，东郊戢影，固义命自安也。

沁园春　将止酒，戒酒杯使勿近

杯汝前来，老子今朝，点检形骸。甚长年抱渴，咽如焦釜，于今喜睡，气似奔雷。汝说刘伶，古今达者，醉后何妨死便埋。浑如许，叹汝于知己，真少恩哉。　更凭歌舞为媒。算合作、人间鸩毒猜。况怨无小大，生于所爱，物无美恶，过则为灾。与汝成言，勿留亟退，吾力犹能肆汝杯。杯再拜，道麾之即去，招亦须来。

稼轩词使其豪迈之气，荡决无前，几于喜笑怒骂，皆可入词。宋人评东坡之词为“以诗为词”，稼轩之词为“以论为词”。集中此类词颇多，录此阕以见词中之一格。

哨遍

一壑自专，五柳笑人，晚乃归田里。问谁知，几者动之微。望飞鸿、冥冥天际。论妙理。浊醪正堪长醉。从今自酿躬耕米。嗟美恶难齐，盈虚如代，天耶何必人知。试回头、五十九年非。似梦里、欢娱觉来悲。夔乃怜蚿，谷亦亡羊，算来何异。　嘻。物讳穷时。丰狐文豹罪因皮。富贵非吾愿，皇皇乎、欲何之。正万籁都沉，月明中夜，心弥万里清如水。却自觉神游，归来坐对，依稀淮岸江涘。看一时、鱼鸟忘情喜。会我已、忘机更忘己。又何曾、物我相视。非鱼濠上遗意。要是吾非子。但教河伯休惭海若，大小均为水耳。世间喜愠更何其。笑先生、三仕三已。

稼轩生平，由绚烂归于平淡，集中多作达语，此词尤为了悟，当在奇狮归后所作。“五十九年”数语，悲欢之境，因醒梦而顿殊，但醒后生悲，仍是梦中之梦，又安用悲耶？“丰狐文豹”句荣利累人，诚如皮之为累。但老子云：“吾所以有大患者，为吾有身。”无身则皮将焉附？后言清夜澄观，而归来则淮雨江云，依然尘世，仍是上阕之梦欢而醒悲耳。结处云物我两忘，则真有濠上非鱼之意，又何论三仕三已乎！

木兰花慢　滁州送范倅

老来情味减，对别酒，怯流年。况屈指中秋，十分好月，不照人圆。无情水都不管，共西风、只管送归船。秋晚莼鲈江上，夜深儿女灯前。　征衫。便好去朝天。玉殿正思贤。想夜半承明，留教视草，却遣筹边。长安。故人问我，道愁肠、殢酒只依然。目断秋霄落雁，醉来时响空弦。

“风水无情”二句为送友言，离思黯然。即接以“秋晚”二句，为行人着想，乃极写家庭之乐。论句法，浑成而兼倜傥。下阕“长安”二句有唐人“归去朝端如有问，玉门关外老班超”诗意。结处言壮心未已，闻秋雁尚欲以虚弦下之，如北平飞将，老去犹思射虎也。

摸鱼儿　观潮上叶丞相

望飞来、半空鸥鹭。须臾动地鼙鼓。截江组练驱山去，鏖战未收貔虎。朝又暮。诮惯得、吴儿不怕蛟龙怒。风波平步。看红旆惊飞，跳鱼直上，蹙踏浪花舞。　凭谁问，万里长鲸吞吐。人间儿戏千弩。滔天力倦知何事，白马素车东去。堪恨处。人道是、属镂怨愤终千古。功名自误。漫教得陶朱，五湖西子，一舸弄烟雨。

前半叙述观潮，未见警动。下阕笔势纵横，借江潮往事为喻。钱王射弩，固属雄夸，即前胥后种，泄怒银涛，亦功名自误，不若范大夫知机，掉头烟雾也。词为上叶丞相而作，其蒿目时艰，意有所讽耶？

汉宫春 立春

春已归来，看美人头上，袅袅春幡。无端风雨，未肯收尽余寒。年时燕子，料今宵、梦到西园。浑未办，黄柑荐酒，更传青韭堆盘。　却笑东风从此，便熏梅染柳，更没些闲。闲时又来镜里，转变朱颜。清愁不断，问何人、会解连环。生怕见，花开花落，朝来塞雁先还。

上阕铺叙"立春"而已。转头处向东风调笑，已属妙语。更云人盼春来，我愁春至，因其暗换韶光，老却多少朱颜翠鬓，语尤隽妙。然则岁岁之花开花落，春固徒忙，人亦徒增惆怅耳。

前调 会稽蓬莱阁怀古

秦望山头，看乱云急雨，倒立江湖。不知云者为雨，雨者云乎。长空万里，被西风、变灭须臾。回首听，月明天籁，人间万窍号呼。　谁向若耶溪上，倩美人西去，麋鹿姑苏。至今故国人望，一舸归欤。岁云暮矣，问何不、鼓瑟吹竽。君不见，王亭谢馆，冷烟寒树啼乌。

前半写景，后半书感，皆极飞动之致。写风雨数语，有云垂海立气概。下阕慨叹西子，徒沼吴宫而美人不返，悲吴宫兼惜美人，此意颇新警。后更言“王亭谢馆”同付消沉，宁独五湖人远！感叹尤深。蓬莱阁为越中胜地，秦少游、周草窗皆赋诗词。此作高唱入云，当以铜琵铁板和之。

醉翁操

长松。之风。如公。肯余从。山中。人心与吾兮谁同。湛湛千里之江。上有枫。噫送子于东。望君之门兮九重。女无悦己，谁适为容。　不龟手药，或一朝兮取封。昔与游兮皆童。我独穷兮今翁。一鱼兮一龙。劳心兮忡忡。噫命与时逢。子之所食兮万钟。

此赠范先之作。范为世臣之后，与稼轩交甚久。其时廷旨录用元祐党籍后裔，先之将趋朝应仕，稼轩因其长于楚辞，且工琴，为赋《醉翁操》以赠别。上阕言与其仕隐殊途，故有人心不同之句。后言昔童而今叟，子龙而我鱼，言之慨然。此词为《稼轩集》中别调，亦庄亦谐，似骚似雅，固见交谊深久，亦见感怀激越也。原词有长序，未录。

青玉案　元夕

东风夜放花千树。更吹落、星如雨。宝马雕车香满路。凤箫声动，玉壶光转，一夜鱼龙舞。　蛾儿雪柳黄金缕。笑语盈盈暗香去。众里寻他千百度。蓦然回首，那人却在，灯火阑珊处。

《武林旧事》纪临安灯市之盛，火树银花，自宵达旦。此词自起笔至“笑语”句，皆纪“元夕”之游观。惟结末三句别有会心。其回首欲见之人，岂避喧就寂耶？或人约黄昏，有城隅之俟耶？含意未申，戛然而止，盖待人寻味也。

踏莎行　和赵国兴知录韵

吾道悠悠，忧心悄悄。最无聊处秋光到。西风林外有啼鸦，斜阳山下多衰草。　长忆商山，当年四老。尘埃也走咸阳道。为谁书到便幡然，至今此意无人晓。

西风斜日，已极荒寒，更兼衰草啼鸦，愈形凄黯，摧颜长望，正翛然有遁世之怀。忽忆及汉时四皓，以箕颍高名，乃弃商山之芝，而索长安之米，世之由终南捷径者，固有其人，宿德如园、绮，而亦幡然应聘，意诚莫晓。稼轩特拈出之，意固何属，亦莫能晓也。

定风波

少日春怀似酒浓。插花走马醉千钟。老去逢春如病酒。唯有。茶瓯香篆小帘栊。　卷尽残花风未定。休恨。花开元自要春风。试问春归谁得见。飞燕。来时相遇夕阳中。

上阕回忆年少春游，迨老去而瀹茗垂帘，不作伤春之语，自乐其天。下阕言菀枯之感，人有同情，但造物者春温秋肃，亦循例之乘除耳。试观花之繁茂，方受春风嘘拂而生，旋复收拾而去，风从何来，遽归何处？人不能见，飞燕来自空中，或与之相遇，作不解语解之，稼翁其静观有悟耶？

鹧鸪天　代人赋

晚日寒鸦一片愁。柳塘新绿却温柔。若教眼底无离恨，不信人间有白头。　　肠已断，泪难收。相思重上小红楼。情知已被云遮断，频奇阑干不自由。

人生容易白头，大抵怨别伤离所致。故下阕言相思不已，重上楼头，明知江上峰青，已曲终人远，而阑干独倚，极目云天，与东坡“天一方”之歌，同其寓感。

前调

唱彻阳关泪未干。功名余事且加餐。浮天水送无穷树，带雨云埋一半山。　　今古恨，几千般。只今离合是悲欢。江头未是风波恶，别有人间行路难。

此阕写景而兼感怀，江树则尽随水远，好山则半被云埋，人生欲望，安有满足之时。况世途艰险，过于太行、孟门，江间波浪，未极其险也。

前调　鹅湖归病起作

枕簟溪堂冷欲秋。断云依水晚来收。红莲相倚浑如醉，白鸟无言定自愁。　书咄咄，且休休。一邱一壑也风流。不知筋力衰多少，但觉新来懒上楼。

人之由壮而衰，积渐初不自觉，迨懒上高楼，始知老之将至，如一叶落而知秋至矣。故“红莲”“白鸟”，风物本佳，而自倦眼观之，觉花鸟皆逊前神采。吾浙谭仲修丈喜诵其“懒上楼”二句，谓学词者当于此等句意求消息也。

醉太平　春晚

态浓意远。眉颦笑浅。薄罗衣窄絮风软。鬓云欺翠卷。
南园花树春光暖。红香径里榆钱满。欲上秋千又惊懒。且归休怕晚。

集中作《金荃》丽句者无多，此作情态俱妍，结句有絮飞春昼、日长人倦之意；且有少陵“一卧沧江惊岁晚”“扁舟一系故园心”之感。

锦帐春　席上和杜叔高

春色难留，酒杯常浅。更旧恨新愁相间。五更风，千里梦，看飞红几片。这般庭院。　几许风流，几般娇懒。问相见何如不见。燕飞忙，莺语乱，恨重帘不卷。翠屏平远。

此词以“旧恨新愁”四字总绾全篇，绝好之春光庭院，而眼前只见几片飞红，况昔梦随风，何堪追忆，旧恨与新愁并写。下阕一重帘幕，如隔蓬山，“别时容易见时难”，则由旧恨而动新愁矣。稼轩伤春、怨别之词，大都有感而发。光绪间王鹏运校刊《稼轩词》十二卷，列之《四印斋集》中，题其后云：“层楼风雨黯伤春，烟柳斜阳独怆神。多少江湖忧乐意，漫呼青兕作词人。”稼轩于千载后，得词苑知音矣。

连久道　一首

清平乐　渔父

阵鸿惊处。一网沉江渚。落叶乱风和细雨。拨棹不如归去。　芦花轻泛微澜。蓬窗独自清闲。一觉游仙好梦，任他竹冷松寒。

可久十二岁时，其父携之见熊曲肱，适有渔父过前，命赋词，援笔立成此调，一座叹服。此词误入洪瑹《空同词》中。

刘过　十首

贺新郎　怀旧

老去相如倦。向文君、说似而今，怎生消遣。衣袂京尘曾染处，空有香红尚软。料彼此、魂消肠断。一枕新凉眠客舍，听梧桐、疏雨秋声颤。灯晕冷，记初见。　楼低不放珠帘卷。晚妆残、翠钿狼藉，泪痕凝脸。人道愁来须殢酒，无奈愁深酒浅。但寄兴、焦琴纨扇。莫鼓琵琶江上曲，怕荻花、枫叶俱凄怨。云万叠，寸心远。

上阕起结二句当老去而回忆初逢，则昔年之东京梦华，事事皆堪肠断，况在秋灯客舍中耶！下阕代伊人写怀，殢酒调琴，藉作排愁之具。结处自感，与“枫叶”“荻花”同其凄韵矣。

前调

多病刘郎瘦。最伤心、天寒岁晚，客他乡久。大舸翩翩何许至，元是高阳旧友。便一笑、相欢携手。为问武昌城下月，定何如、扬子江头柳。追往事，两眉皱。　　烛花细剪明于昼。唤青蛾、小红楼上，殷勤劝酒。昵昵琵琶恩怨语，春笋轻笼翠袖。看舞彻、金钗微溜。若见故乡吾父老，道长安、市上狂如旧。重会面，几时又。

他乡遇故知，开尊话旧、排闷征歌以及惜别之怀，当时情事，振笔写来，性情自见，不仅才气横溢也。

念奴娇　自述

知音者少，算乾坤许大、着身何处。直待功成方肯退，何日可寻归路。多景楼前，垂虹亭下，一枕眠秋雨。虚名相误，十年枉费辛苦。　　不是奏赋明光，上书北阙，无惊人之语。我自匆忙天未许，赢得衣裾尘土。白璧堆前，黄金买笑，付与君为主。莼鲈江上，浩然明日归去。

尽道休官好而林下曾无足迹，上阕“功成”“归路”二句洵警世之语。十年误尽虚名，作者盖深悔之。彼黄金白璧，荣利场中，自有人在。但未可语莼鲈江上之客，故以“自述”标题也。

唐多令　再过武昌

芦叶满汀洲。寒沙带浅流。二十年、重过南楼。柳下系船犹未稳，能几日、又中秋。　黄鹤断矶头。故人曾到不。旧江山、都是新愁。欲买桂花同载酒，终不似、少年游。

胜地重经，旧情易感，况二十年之久，故友凋零，新愁重叠，人何以堪！结句感喟尤深，章良能所谓旧游可寻，而少年心难觅也。

水调歌头　春半

春事能几许，密叶着青梅。日高花困，海棠风暖想都开。不惜春衣典尽，只怕春光归去，片片点苍苔。能得几时好，追赏莫徘徊。　雨飘红，风换翠，苦相催。人生行乐，且须痛饮莫辞杯。坐则高谈风月，醉则恣眠芳草，醒后亦佳哉。湖上新亭好，何事不曾来。

容易春残，及时行乐，使笔如舌，纯以气行，不在造句之工，王简卿侍郎称为近世所无。改之为稼轩客，人谓其词多壮语，盖学稼轩者也。

沁园春

风雪中欲诣稼轩，久寓湖上，未能一往，因赋此词以自解。

斗酒彘肩，风雨渡江，岂不快哉。被香山居士，约林和靖，与坡仙老，驾勒吾回。坡谓西湖，正如西子，浓抹淡妆临镜台。二公者，皆掉头不顾，只恁传杯。　白云天竺去来。看金碧、崔嵬楼观开。况一涧萦迂，东西水绕，两山南北，高下云堆。逋曰不然，暗香浮动，何似孤山先探梅。须晴去，访稼轩未晚，且此徘徊。

借苏、白、林三人之语，往复成词，逸气纵横。如宜僚弄丸，靨不如意，虽非正调，自是创格。

前调　美人指甲

销薄春冰，碾轻寒玉，渐长渐弯。见凤鞋泥污，偎人强剔，龙涎香断，拨火轻翻。学抚瑶琴，时时欲剪，更掬水鱼鳞波底寒。纤柔处，试摘花香满，镂枣成斑。　时将粉泪偷弹。记绾玉曾教柳傅看。算恩情相着，搔便玉体，归期暗数，画遍阑干。每到相思，沉吟静处，斜倚朱唇皓齿间。风流甚，把仙郎暗掐，莫放春闲。

以龙洲才气雄杰，而为此侧艳之词，亦殊工整。“朱唇皓齿”三句，尤为传神。近人作美人形况词者，皆倚《沁园春》调，以工切为能，此词乃江源滥觞也。

醉太平

情深意真。眉长鬓青。小楼明月调筝。写春风数声。

思君忆君。魂牵梦萦。翠绡香暖云屏。更那堪酒醒。

宋子虚称改之“以气义撼当世，其词激烈”“为天下奇男子”。若此调之绵丽多情，《唐多令》之低回善感，颇与《画眉》《天仙》诸咏相似，不仅能作豪放语也。

小桃红　在襄州作

晓入纱窗静。戏弄菱花镜。翠袖轻匀，玉纤弹去，小妆红粉。画行人、愁外两青山，与尊前离恨。　宿酒醺难醒。笑记香肩并。暖借莲腮，碧云微透，晕眉斜印。最多情、生怕外人猜，拭香津微揾。

原注云：“咏美人画扇。”词中惟“行人”“青山”二句系咏画扇。下阕纯咏绮情，与咏扇无涉。花庵词客谓其词学幼安，如《别妾》及《小桃红》调，《稼轩集》中，能有此纤秀语耶？

贺新郎　赠张彦功

晓印霜花步。梦半醒、扶上雕鞍，马嘶人去。岚湿青丝双辔冷，缓鞚野梅江路。听画角、吹残更鼓。悲壮寒声撩客恨，甚貂裘、重拥愁无数。斜月白，照离绪。　青楼回首家何处。早山遥、水阔天低，断肠烟树。谁念天涯牢落况，轻负暖烟浓雨。记酒醒、香消时语。客里归鞯须早发，怕天寒、风急相思苦。应为我，翠眉聚。

上阕极写晓寒旅行风物，情景兼到。“离绪”句引起下文。下阕言离绪，而天寒客况，从翠眉人语中传出，更见情致缠绵。龙洲为一时名手，以上四调，皆句意并得，周草窗所选《绝妙好词》未免遗珠。

姜夔　二十二首

扬州慢

淮左名都，竹西佳处，解鞍少驻初程。过春风十里，尽荠麦青青。自胡马、窥江去后，废池乔木，犹厌言兵。渐黄昏清角，吹寒都在空城。　杜郎俊赏，算而今、重到须惊。纵豆蔻词工，青楼梦好，难赋深情。二十四桥仍在，波心荡、冷月无声。念桥边红药，年年知为谁生。

此词极写兵后名都荒寒之状。“春风”二句其自序所谓“四顾萧条”也。“胡马”句言坏劫曾经，追思犹恸，况空城入暮，戍角吹寒，如李陵所谓“胡笳互动，……只令人悲增忉怛耳”。下阕过扬州者，以杜牧文词为最著，因以自况，言百感填膺，非笔墨所能罄。“冷月”二句诵之若商声激楚，令人心倒肠回。篇终“红药”句言春光依旧，人事全非，哀郢怀湘，同其沉郁矣。凡乱后感怀之作，词人所恒有，白石之精到处，凄异之音，沁入纸背，复能以浩气行之，由于天分高而蕴酿深也。近人蒋鹿潭乱后过江诸作，哀音秀句，略能似之。

长亭怨慢

渐吹尽、枝头香絮。是处人家，绿深门户。远浦萦回，暮帆零乱、向何许。阅人多矣。谁得似、长亭树。树若有情时，不会得、青青如此。　日暮。望高城不见，只见乱山无数。韦郎去也，怎忘得、玉环分付。第一是、早早归来，怕红萼、无人为主。算空有并刀，难剪离愁千缕。

此词颇有桓司马江潭之感。虽似怨别之辞，而实则乱愁无次，触绪纷来。凡怀人恋阙，抚今追昔，悉寓其中。首言春望景物，即紧接以“暮帆零乱”句发挥本意。望接天帆影，其中思妇离人，不知凡几，何忍入愁人之眼。惟亭树则冷漠无情，虽长年送尽行人，而青青依旧，与李白之“春风知别苦，不遣柳条青”皆伤心人语。下阕言举目河山，高城阻绝，望远而兼有“浮云蔽日”之感。以下叙离情，临歧片语，历久难忘，凝望早归而托言红萼，以雅逸之笔，致缠绵之思，犹《楚辞》之山间采秀，怅公子之忘归，深人无浅语也。

暗香

旧时月色。算几番照我，梅边吹笛。唤起玉人，不管清寒与攀摘。何逊而今渐老，都忘却、春风词笔。但怪得、竹外疏花，香冷入瑶席。　江国。正寂寂。叹寄与路遥，夜雪初积。翠樽易泣。红萼无言耿相忆。长记曾携手处，千树压、西湖寒碧。又片片、吹尽也，几时见得。

疏影

苔枝缀玉。有翠禽小小，枝上同宿。客里相逢，篱角黄昏，无言自倚修竹。昭君不惯胡沙远，但暗忆、江南江北。想佩环、月夜归来，化作此花幽独。　犹记深宫旧事，那人正睡里，飞近蛾绿。莫似春风，不管盈盈，早与安排金屋。还教一片随波去，又却怨、玉龙哀曲。等恁时、重觅幽香，已入小窗横幅。

白石词仅数十首，而流传勿替，可见词贵精不贵多也。其《暗香》《疏影》二首，尤脍炙人口。但用其调和韵者多，而宣发其本意者少。张叔夏云："二曲前无古人，后无来者。"《疏影》曲前段用少陵诗，后段用寿阳公主事，此皆"用事不为事所使"。今寻绎《暗香》词意，乃发怀旧之思，而托诸美人香草。起笔"旧时月色"句已标明本旨，"何逊渐老"二句有"同学少年多不贱，五陵裘马自轻肥"之慨，通篇一往情深。"翠樽""红萼"四句在西湖千树幽香中与玉人携手，如见绿萼仙人，一笑嫣然，在残雪轻冰之外，词意清迥，不得以妮子语视之。况"寄与路遥"句与《疏影》曲"胡沙忆远"同意，则咏花而兼有人在也。《疏影》曲叔夏言其"用事不为事所使"，诚然。但其意不仅用明妃、寿阳事，殆以两宫北狩，有故主蒙尘之感，故云花片随波，胡沙忆远，寓霜塞玉鞭之慨。转头处即言深宫旧事，与《暗香》曲"旧时月色"相应。否则落花随水及"玉龙哀曲"句与寿阳何涉耶？白石之《小重山令》咏红梅云："九疑云杳断魂啼。相思血，都沁绿筠枝。"殆亦此意。二曲藉花写怨，一片神行，宜推绝唱也。

齐天乐 蟋蟀

庾郎先自吟愁赋。凄凄更闻私语。露湿铜铺，苔侵石井，都是曾听伊处。哀音似诉。正思妇无眠，起寻机抒。曲曲屏山，夜凉独自甚情绪。　西窗又吹暗雨。为谁频断续，相和砧杵。候馆吟秋，离宫吊月，别有伤心无数。豳诗漫与。笑篱落呼灯，世间儿女。写入琴丝，一声声更苦。

起笔振裘挈领，未闻蟋蟀，先已赋愁，则以下所咏，处处皆含愁意，一线贯注。若由蟋蟀起笔，便无意味，学词者可悟起句之一种用笔也。咏正面仅“露湿”“苔侵”三句，此后砧韵机声，皆人与物夹写。“候馆”三句局势开拓，寄情绵邈，与咏蝉之汉苑秦宫，同一意境。结笔灯影琴丝，仍由侧面着想，首尾无一滞笔。时人称其全章精粹，不留滞于物，洵然也。

念奴娇 荷花

闹红一舸，记来时、尝与鸳鸯为侣。三十六陂人未到，水佩风裳无数。翠叶吹凉，玉容消酒，更洒菰蒲雨。嫣然摇动，冷香飞上诗句。　日暮。青盖亭亭，情人不见，争忍凌波去。只恐舞衣寒易落，愁入西风南浦。高柳垂阴，老鱼吹浪，留我花间住。田田多少，几回沙际归路。

此调工于发端。“闹红”四字，花与人皆在其中。以下三句咏荷及赏荷之人，皆从空际着想。“翠叶”三句略点正面。接以“嫣然”二句，诗意与花香俱摇漾于水烟渺霭之中。下阕怀人而兼惜花，低回不去，而留客赏荷者，托诸“柳阴”“鱼浪”,仍在空处落笔。通首如仙人行空，足不履地，宜叔夏读之，“神观飞越”也。

点绛唇　过吴淞

燕雁无心，太湖西畔随云去。数峰清苦。商略黄昏雨。
第四桥边，拟共天随住。今何许。凭阑怀古。残柳参差舞。

欲雨而待“商略”，“商略”而在“清苦”之“数峰”,乃词人幽渺之思。白石泛舟吴江，见太湖西畔诸峰，阴沉欲雨，以此二句状之。“凭阑”二句其言往事烟消，仅余残柳耶？抑谓古今多少感慨，而垂柳无情，犹是临风学舞耶？清虚秀逸，悠然骚雅遗音。

翠楼吟

月冷龙沙，尘清虎落，今年汉酺初赐。新翻胡部曲，听毡幕、元戎歌吹。层楼高峙。看槛曲萦红，檐牙飞翠。人姝丽。粉香吹下，夜寒风细。　此地。宜有词仙，拥素云黄鹤，与君游戏。玉梯凝望久，叹芳草、萋萋千里。天涯情味。仗酒祓清愁，花消英气。西山外。晚来还卷，一帘秋霁。

此词为武昌安远楼初成而赋。观前五句“龙沙”“毡幕”“赐酺”等辞，当是奉敕宴北使于斯楼。“槛曲”五句言高楼之壮丽，歌妓之娟妍，皆平叙之笔。转头处因地在武昌，故用黄鹤仙人事。“素云”二句有奇气青霞之想。其下接以望远生愁，楼俯鹦鹉洲，故言“芳草千里”,藻不妄抒。“清愁”“英气”二句隐有少陵“看镜”“倚楼”之感，句法倜傥而深郁，自是名句。

霓裳中序第一

亭皋正望极。乱落江莲归未得。多病却无气力。况纨扇渐疏，罗衣初索。流光过隙。叹杏梁、双燕如客。人何在、一帘淡月，仿佛照颜色。　幽寂。乱蛩吟壁。动庾信、清愁似织。沉思年少浪迹。笛里关山，柳下坊陌。坠红无信息。漫暗水、涓涓溜碧。飘零久、而今何意，醉卧酒垆侧。

白石于楚中祝融峰得祀神之曲，曰《黄帝盐》。又于乐工故书中得《商调·霓裳曲》十八调，皆存虚谱而无辞。乃作《霓裳中序》一曲，以传古意。但谱虽仿古，而词则写怀。前五句言秋风人倦，“流光”二句叹急景之不居，“人何在”三句望伊人之宛在。月到旧时明处，与谁同倚阑干，白石殆同此感也。下阕回首当年，关河浪迹，坊陌春游，旧梦重重，逐暗水流花而去，赢得飘零词客，一醉埋愁。李后主所谓“醉乡路稳宜频到，此外不堪行”也。

庆宫春

双桨莼波，一蓑松雨，暮愁渐满空阔。呼我盟鸥，翩翩欲下，背人还过木末。那回归去，荡云雪、孤舟夜发。伤心重见，依约眉山，黛痕低压。　采香径里春寒，老子婆娑，自歌谁答。垂虹西望，飘然引去，此兴平生难遏。酒醒波远，正凝想、明珰素袜。如今安在，惟有阑干，伴人一霎。

白石于冬夜偕友过吴江，卮酒御寒，相与赓和，乃赋此调。起笔即秀逸而工,承以“盟鸥”三句，着笔轻灵。此下回首前游，凄然凝望，山压眉低，此中当有人在。故下阕言旧地重过，已明珰人去，酒醒波远，倚阑之惆怅可知。白石曾在吴江垂虹亭谱一曲新词，付小红低唱，传为韵事。观“如今安在”句，当是小红去后之作，虽无词序言明，以重过垂虹相证，或非虚造之谈也。白石赋此词，几经涂稿而成。知吟安一字之难，以横溢之天才，而审慎如是，学词者未可以轻心掉之。

满江红

仙姥来时，正一望、千顷翠澜。旌旗共、乱云俱下，依约前山。命驾群龙金作轭，相从诸娣玉为冠。向夜深、风定悄无人，闻佩环。　神奇处，君试看。奠淮右，阻江南。遣六丁雷电，别守东关。却笑英雄无好手，一篙春水走曹瞒。又怎知、人在小红楼，帘影间。

旧调《满江红》多用仄韵，白石谓于律不协。尝舟过巢湖，赋平韵《满江红》，为迎神送神之曲，刻于神姥祠柱间。上阕“玉冠诸娣”句谓神姥旁列十三女神。下阕之意谓其地即濡须口，当江湖之冲，孙权与曹操书所谓“春水方生，公宜速去”即此地也。此调用平韵，为白石所创，格调高亮，后来词家每效之。而汲古阁刻《白石词》及皋文《词选》《续词选》均未选录，杨诚斋评白石诗，谓有“敲金戛玉之奇声”，此词音节，颇类其评语。

探春慢

衰草愁烟，乱鸦送日，风沙回旋平野。拂雪金鞭，欺寒茸帽，还记章台走马。谁念飘零久，漫赢得、幽怀难写。故人清沔相逢，小窗闲共情话。　长恨离多会少，重访问竹西，珠泪盈把。雁碛波平，渔汀人散，老去不堪游冶。无奈苕溪月，又唤我扁舟东下。甚日归来，梅花零乱春夜。

白石久寓于沔上，行将东下，赋此志别。毛晋所刻本标题云："过苕霅，别郑次皋诸君。""过"字语未明了。盖由沔将作吴兴之游，非经过苕霅，观词中"清沔相逢"及"唤舟东下"句可证之。通首序事录别，笔气高爽，自是白石本色。

水龙吟

夜深客子移舟处，两两沙禽惊起。红衣入桨，青灯摇浪，微凉意思。把酒临风，不思归去，有如此水。况茂陵游倦，长干望久，芳心事，箫声里。　屈指归期尚未。鹊南飞、有人应喜。画阑桂子，留香小待，提携影底。我已情多，十年幽梦，略曾如此。甚谢郎也恨飘零，解道月明千里。

此乃和友人鉴湖怀归之作。借杯酒自浇块垒，言愁欲愁，曲折写来，绝无平衍之笔。“鹊南飞”四句从对面着想，便饶情致。

角招

为春瘦。何堪更、绕西湖尽是垂柳。自看烟外岫。记得与君，湖上携手。君归未久。早乱落、香红千亩。一叶凌波缥缈，过三十六离宫，遣游人回首。　犹有。画船障袖。青楼携扇，相映人争秀。翠翘光欲溜。爱着宫黄，而今时候。伤春似旧。荡一点、春心如酒。写入吴丝自奏。问谁识、曲中心，花前后。

此词为重过西湖，梅花已落，怀人而作。独客伤春之际，花落人遥，旧欢回首，谁能遣此！前半首随笔写来，含思凄婉。转头六句皆追写伊人情态。至“春心如酒”句为题珠所在，旧欢则甘如蜀荔，新愁则酸若江梅，两味相荡，浑如中酒。后主所谓“别有一般滋味在心头”也。以“花前后”三字结束全篇，悲愉之境，前后迥殊矣。

徵招

潮回却过西陵浦，扁舟仅容居士。去得几何时，黍离离如此。客途今倦矣。漫赢得、一襟诗思。记忆江南，落帆沙际，此行还是。　迤逦剡中山，重相见、依依故人情味。似怨不来游，拥愁鬟十二。一邱聊复尔。也孤负、幼舆高致。水葓晚，漠漠摇烟，奈未成归计。

曲中自古少徵调。大晟府尝制《徵招》，而音节近驳。白石乃自制此曲，虽兼用母声，较大晟为无病。因忆越中水乡风景，赋此寄兴，音谐而辞婉。“依依故人”三句尤摇曳生姿。

汉宫春　次韵稼轩

云曰归欤。纵垂天曳曳，终返衡庐。扬州十年一梦，俯仰差殊。秦碑越殿，悔旧游、作计全疏。分付与，高怀老尹，管弦丝竹宁无。　　知公爱山入剡，若南寻李白，问讯何如。年年雁飞波上，愁亦关余。临皋领客，向月边、携酒携鲈。今但借、秋风一榻，公歌我亦能书。

前调　次韵稼轩蓬莱阁

一顾倾吴。苎萝人不见，烟杳重湖。当时事如对弈，此亦天乎。大夫仙去，笑人间、千古须臾。有倦客，扁舟夜泛，犹疑水鸟相呼。　　秦山对楼自绿，怕越王故垒，时下樵苏。只今倚阑一笑，然则非欤。小丛解唱，倩松风、为我吹竽。更坐待、千岩月落，城头眇眇啼乌。

白石学清真，心摹手追，犹觉挽强命中而未能穿札。和辛稼轩二首，则工力相等。宜杜少陵评诗谓材力未能跨越，有“鲸鱼”“翡翠”之喻也。

琵琶仙

双桨来时，有人似、旧曲桃根桃叶。歌扇轻约飞花，蛾眉正奇绝。春渐远、汀洲自绿，更添了、几声啼鴂。十里扬州，三生杜牧，前事休说。　又还是、宫烛分烟，奈愁里匆匆换时节。都把一襟芳思，与空阶榆荚。千万缕，藏鸦细柳，为玉尊、起舞回雪。想见西出阳关，故人初别。

此在客吴兴时感遇而作。首四句叙往事，“春渐远”三句叙别后光阴，写愁中闻见，以疏秀之笔出之。下阕感节序而伤离，榆钱柳絮，皆借物怀人，便无滞相，其佳处在空灵也。

惜红衣

簟枕邀凉，琴书换日，睡余无力。细洒冰泉，并刀破甘碧。墙头唤酒，谁问讯、城南诗客。岑寂。高树晚蝉，说西风消息。　虹梁水陌。鱼浪吹香，红衣半狼藉。维舟试望，故国渺天北。可惜渚边沙外，不共美人游历。问甚时同赋，三十六陂秋色。

此首与《念奴娇》词原题皆云吴兴荷花，但《念奴娇》词通首咏荷，惟“凌波”二句略见怀人。此调倚《惜红衣》，应赋本体，而词则前半阕但言逭暑追凉，寂寥谁语！下阕始有“红衣狼藉”一句点题，余皆言望远怀人，与《念奴娇》同一咏荷，而情随事迁，此调则言情多于写景，下阕尤佳。其俊爽绵远处，正如词中之并刀破碧，方斯意境。

隔溪梅令

好花不与殢香人。浪粼粼。又恐春风归去、绿成阴。玉钿何处寻。　木兰双桨梦中云。小横陈。漫向孤山山下、觅盈盈。翠禽啼一春。

此词原题云：“自无锡归，作此寓意。”实则忆西湖看梅往事，观词中“双桨”“孤山”等句可见，与《角招》词之忆孤山梅花，同一感怀。此言玉钿难觅，即《角招》词翠翘罗袖之感。结句不着边际，含情无限，如赵师雄之罗浮梦醒，但闻翠羽飞鸣耳。

凄凉犯

绿杨巷陌。西风起、边城一片离索。马嘶渐远，人归甚处，戍楼吹角。情怀正恶。更衰草、寒烟淡薄。似当时、将军部曲。迤逦度沙漠。　追念西湖上，小舫携歌，晚花行乐。旧游在否，想如今、翠凋红落。漫写羊裙，等新雁、来时系着。怕匆匆、不肯寄与误后约。

词在合肥秋夕作。上阕汴洛回看，慨收京之无望；下阕临安南望，叹俊赏之难追。合肥本属江淮腹地，以其时南北分疆，其地遂为防秋边徼，故“边城”“戍角”等句，宛如塞上也。度漠雄师，徒劳追念，则南朝之不振可知。下阕忆当日小舫清歌之乐，换客中西风画角之悲，情怀更劣矣。

小重山令　潭州红梅

人绕湘皋月坠时。斜横花树小，浸愁漪。一春幽事有谁知。东风冷，香远茜裙归。　鸥去昔游非。遥怜花可可，梦依依。九疑云杳断魂啼。相思血，都沁绿筠枝。

梅苑人归，蘅皋月冷，感怀吊古，愁并毫端。其凄丽之致，颇似东山、淮海。

戴复古　一首

望江南

壶山好，文字满胸中。诗律变成长庆体，歌词绰有稼轩风。最会说穷通。　中年后，虽老未成翁。儿大相传书种在，客来不放酒尊空。相对醉颜红。

复古之父东皋，以诗自娱，每叹儿幼，不能承其诗学。复古既长，承遗训，刻苦为诗词，吴荆溪称其能“固穷继志”。南渡后以诗鸣于时，为江湖四灵之一。著有《石屏词》，赋《沁园春》及《望江南》诸词自述生平。兹录其《望江南》一首，以见其概。

史达祖 三十首

绮罗香 咏春雨

做冷欺花，将烟困柳，千里偷催春暮。尽日冥迷，愁里欲飞还住。惊粉重、蝶宿西园，喜泥润、燕归南浦。最妨他、佳约风流，钿车不到杜陵路。　沉沉江上望极，还被春潮晚急，难寻官渡。隐约遥峰，和泪谢娘眉妩。临断岸、新绿生时，是落红、带愁流处。记当日、门掩梨花，剪灯深夜语。

此词体物殊工，与碧山之咏蝉，玉田之咏春水，白石之咏蟋蟀，皆能融情景于一篇者。虞山毛晋心醉其《双双燕》词，但“柳昏花暝”自是名句，而全篇多咏燕，仅于结处见意，不若此调之情文并茂也。起三句吸春雨之神。四、五句关合听雨之情。“蝶”“燕”二句从侧面写题，“惊”“喜”二字为蝶燕设想，殊妙。“佳约”句承愁雨之意，写到怀人，以领起后幅。转头处言临江望远，意境开拓。以山喻眉，以雨喻泪，常语也，眉黛与泪痕合写，便成隽语。上阕言近处庭院之雨，后言远处江湖之雨。“新绿”二句非特江干风景，而送春念远，皆在其中。“落红”句造语尤工。结句听雨西窗，虽意所易到，而回首当年，以“梨花门掩”，点染生姿，觉余音绕梁也。

万年欢　春思

两袖梅风，谢桥边、岸痕犹带阴雪。过了匆匆灯市，草根青发。燕子春愁未醒，误几处、芳音辽绝。烟溪上、采绿人归，定应愁沁花骨。　非干厚情易歇。奈燕台句老，难道离别。小径吹衣，曾记故里风物。多少惊心旧事，第一是、侵阶罗袜。如今但、柳发晞春，夜来和露梳月。

落梅风里，残雪未消，写初春风景。四、五句点明初春，以后归到“春思”，而托诸燕子，乃用笔轻情处。“采绿”本属怀人，“烟溪”二句从对面着想，颇似清真词格。下阕“燕台”句用玉溪生与柳枝娘事，言非我忘情，以相别未能相见，重重旧梦，悉付飘风，惟有玉阶罗袜，第一难忘，与“采绿”之人，同是低回“春思”,赢得露寒月冷，抚萧疏潘鬓，与柳发同梳耳。结句炼字亦工。

杏花天　清明

软波拖碧蒲芽短。画桥外、花晴柳暖。今年自是清明晚。便觉芳情较懒。　　春衫瘦、东风剪剪。过花坞、香吹醉面。归来立马斜阳岸。隔岸歌声一片。

“软波”二句及“春衫”二句写清明景色，以秀丽之笔，句斟字酌出之。余皆写情，言春物骀荡，正寻芳坊曲之时，乃人乐而我归，夕阳驻马，听隔岸笙歌，欣戚之怀迥异。而通首惟一“懒”字，略露本意，此词笔之高处。

南浦

玉树晓飞香，待倩他、和愁点破妆镜。轻嫩一天春，平白地、都护雨昏烟暝。幽花露湿，定应独把阑干凭。谢屐未蜡，安排共文鸳，重游芳径。　年来梦里扬州，怕事随歌残，情趁云冷。娇眄隔东风，无人会、莺燕暗中心性。深盟纵约，尽同晴雨全无定。海棠梦在，相思过西园，秋千红影。

首二句即藉景以怀人。以下言嫩春时节，将与倚阑人安排佳约，皆在虚处着笔。下阕分为三折，“扬州”三句乃追感往事；“东风”二句言倚阑人之临风凝睇，莫慰幽情；“深盟”二句则两面合写，言人事难料，纵有盟约，同晴雨之无凭。分三叠写情，皆一片凄迷之境。迨“重过西园”,剩有“秋千红影”，则“娇眄东风”，徒劳望眼耳。

临江仙　闺思

愁与西风应有约，年年同赴清秋。旧游帘幕记扬州。一灯人着梦。双燕月当楼。　罗带鸳鸯尘暗淡，更须整顿风流。天涯万一见温柔。瘦应因此瘦，羞亦为郎羞。

秋士善怀，首二句联合写之，便标新异。唐人诗如“暝色赴春愁”及“群山万壑赴荆门”句，皆善用“赴”字，此言愁与风同赴，洵君房语妙也。“灯”“月”句以对语结束上阕，旧梦扬州，托辞双燕，见燕双而人独，句法浑成而兼韵致，殊耐微吟。“罗带”二句姑作重逢之想。“天涯”句摇曳生姿。结句极写缠绵，“瘦”字承罗带而言，“羞”字承见面而言。吴梅村诗“当时对面忧吾瘦，即便多情见却羞”，殆有同感。青衫憔悴，红粉飘零，果羞属谁边耶？此调集中凡三首，尚有“莫教无用月，来照可怜宵”及“向来箫鼓地，犹见柳婆娑”，四语咸有思致。

双双燕　咏燕

过春社了，度帘幕中间，去年尘冷。差池欲住，试入旧巢相并。还相雕梁藻井。又软语、商量不定。飘然快拂花梢，翠尾分开红影。　芳径。芹泥雨润。爱贴地争飞，竞夸轻俊。红楼归晚，看足柳昏花暝。应自栖香正稳。便忘了、天涯芳信。愁损翠黛双蛾，日日画阑独凭。

归来社燕，回忆去年，题前着笔，便留旋转之地。巢痕重拂，犹征人之返故居，咏燕亦隐含人事。欧阳永叔爱诵咏燕诗“晓窗惊梦语匆匆”句，此词云“商量不定”，为燕语传神尤妙。“芳径”四句赋题正面。“柳昏花暝”传为名句，多少朱门兴废，皆在“看足”两字之中。毛晋云:“余幼读《双双燕》词，便心醉梅溪。”于刻《梅溪词》后，特标出之。结句因燕书未达，念及倚阑人，余韵悠然。

夜行船　闻卖杏花

不剪春衫愁意态。过收灯、有些寒在。小雨空帘，无人深巷，已早杏花先卖。　白发潘郎宽沈带。怕看山、忆他眉黛。草色拖裙，烟光惹鬓，长记故园挑菜。

此词着意在结句。杏花时节，正故园昔日挑菜良辰，顿忆鬓影裙腰之当年情侣，乃芳序重临而潘郎憔悴，其感想何如耶？上阕咏卖花，款款写来，风致摇曳。春阴门巷，在幽静境中，益觉卖花声动人凄听也。

过龙门

一带古苔墙。多听寒螀。箧中针线早消香。燕尾宝刀窗下梦，谁剪秋裳。　宫漏莫添长。空费思量。鸳鸯难得再成双。昨夜楚山花簟里，波影先凉。

秋宵虫语，最易感人，“针线”三句，意殊凄异。“花簟”句与玉溪生“长簟空床”同感。况言鸳鸯不再成双，此盖悼亡之作。“宝刀窗下”句即《寿楼春》词“金刀晴窗”之意，“谁剪秋裳”句即《寿楼春》“谁念无裳”之意。

前调 春愁

醉月小红楼。锦瑟箜篌。夜来风雨晓来收。几点落花饶柳絮，同为春愁。　寄信问晴鸥。谁在芳洲。绿波迎处有兰舟。独对旧时携手地，情思悠悠。

起笔即有“锦瑟华年”之慨，不仅伤春，故接以“同为春愁”句。以下“芳洲绿波”句，忆仙侣之同舟。郭频伽词“伤心逝水滔滔，当时同渡，却双桨归来人独”,殆古今伤心人同此怀抱。前首秋怀，此首春思，“旧时携手”句即《寿楼春》词“晴窗素手”之意。“兰舟”句即《寿楼春》“湘云人散”“蘋藻相思”之意，作者触处生悲也。

鹧鸪天

搭柳阑干倚伫频。杏帘胡蝶绣床春。十年花骨东风泪，几点螺香素壁尘。　　箫外月，梦中云。秦楼楚殿可怜身。新愁换尽风流性，偏恨鸳鸯不念人。

“花骨”二字颇新，惟《梅溪集》中两用之。“东风”句较《万年欢》调“愁沁花骨”尤为凄艳欲绝。吟此两句，如闻“落叶哀蝉”之歌。昔人咏鸳鸯者，或羡其双飞，或愿为同命，此独言其不复念人，但既言“换尽风流”，则绮习划除，愿归枯衲，安用恨为！恨耶情耶？殆自问亦莫辨也。

燕归梁

独卧秋窗桂未香。怕雨点飘凉。玉人只在楚云旁。也着泪，过昏黄。　　西风今夜梧桐冷，断无梦，到鸳鸯。秋钲二十五声长。请各自，耐思量。

上阕用一“也”字，则着泪者不独“玉人”，故结句言“各自思量”，语殊隽妙。与“同向春风各自愁”“小簟单衾各自寒”皆善用“各自”二字者。

东风第一枝　咏春雪

巧沁兰心，偷黏草甲，东风欲障新暖。漫疑碧瓦难留，信知暮寒较浅。行天入镜，做弄出、轻松纤软。料故园、不卷重帘，误了乍来双燕。　青未了、柳回白眼。红欲断、杏开素面。旧游忆着山阴，后盟遂妨上苑。熏炉重暖，便放慢、春衫针线。恐凤鞋、挑菜归来，万一灞桥相见。

起五句咏题面，格局与《绮罗香·咏春雨》相似。“轻松纤软”四字写“春雪”入细。“重帘”“双燕”二句因雪而从归燕着想，虽与《咏春雨》上阕“钿车”句人与物不同，而其从本题别开思路则同。转头处笔渐开拓，亦与《咏春雨》同。后段四句用“灞桥”以点缀“雪”字，而恐归人怯雪后余寒，为重温炉火，一往情深，忘其为咏雪余波矣。

前调

草脚愁苏，花心梦醒，鞭香拂散牛土。旧歌空忆珠帘，彩笔倦题绣户。黏鸡贴燕，想占断、东风来处。暗惹起、一掬相思，乱若翠盘红缕。　今夜觅、梦池秀句。明日动、探花芳绪。寄声沽酒人家，预约俊游伴侣。怜他梅柳，乍忍俊、天街酥雨。待过了、一月灯期，日日醉扶归去。

原题云：“壬戌闰腊望，雨中立癸亥春，与高宾王各赋。”此作视前《咏春雨》《咏春雪》二题，思路较窘。其章法先赋本题，后展笔势，仍与咏雨雪相似。“翠盘红缕”句借贺春品物、从无情处生情，自是词手。下阕“梅柳”句从题中“雨”字着想，“灯期”句从年前立春、由腊月望日至元宵着想。既发挥本题，句复妍秀，由其工力之深也。

蝶恋花

二月东风吹客袂。苏小门前，杨柳如腰细。胡蝶识人游冶地。旧曾来处花开未。　几夜湖山生梦寐。评泊寻芳，只怕春寒里。今岁清明逢上巳。相思先到溅裙水。

此词赋春景，若实赋春游，便少余味。上阕胡蝶寻芳，而言花开犹未，后言水上溅裙，正“有女如云”之际，乃时犹未届祓禊之辰，而相思先达，前后皆空际盘旋，不沾边际。姜白石评梅溪词，谓“奇秀清逸，有李长吉之韵”。此调可当清逸二字。

玉胡蝶

晚雨未摧宫树，可怜闲叶，犹抱凉蝉。短景归秋，吟思又接愁边。漏初长、梦魂难禁，人渐老、风月俱寒。想幽欢。土花庭甃，虫网阑干。　无端。啼蛄搅夜，恨随团扇，苦近秋莲。一笛当楼，谢娘悬泪立风前。故园晚、强留诗酒，新雁远、不致寒暄。隔苍烟。楚香罗袖，谁伴婵娟。

以凉蝉而犹抱闲叶，身世之萧飒可知。“风月俱寒”句与贺方回之“清风明月休论价，卖与愁人值几钱”皆感叹风月，一伤老，一言愁，各极其深郁之致。“土花”二句琼楼金谷，转眼荒残，不独往迹幽欢，向空园凭吊也。下阕“谢娘”之句哀感顽艳，白石翁称其“奇秀”，此七字足当之。《梦窗四稿》亦载此词。宋人词集，每有他人稿误入者。

喜迁莺

月波疑滴。望玉壶天近，了无尘隔。翠眼圈花，冰丝织练，黄道宝光相直。自怜诗酒瘦，难应接、许多春色。最无赖，是随香趁烛，曾伴狂客。　踪迹。漫记忆。老了杜郎，忍听东风笛。柳院灯疏，梅厅雪在，谁与细倾春碧。旧情拘未定，犹自学、当年游历。怕万一，误玉人、夜寒帘隙。

前六句咏月色。以下自嘲无赖，亦自叹衰迟，以耽诗、病酒、消瘦之身，而逐三五少年，东涂西抹，宁不可笑。但杜郎虽老，亦当年临风听笛之人，乃重至清幽之地，梅厅柳院，陈迹依依，而酒边人远，余情未了，冀万一之相逢，作无聊之自慰耳。

寿楼春　寻春服感念

裁春衫寻芳。记金刀素手，同在晴窗。几度因风残絮，照花斜阳。谁念我，今无裳。自少年、消磨疏狂。但听雨挑灯，欹床病酒，多梦睡时妆。　飞花去，良宵长。有丝阑旧曲，金谱新腔。最恨湘云人散，楚兰魂伤。身是客，愁为乡。算玉箫、犹逢韦郎。近寒食人家，相思未忘蘋藻香。

百余字之长调，惟《寿楼春》有一句全用平声字者，有七字中五平声者，有四字三平声者，词意易为拘滞。此词因寻春服悼逝而作，当日剪刀声里，回针密缕，皆密意之回肠，是何等田居情味！惜年少清狂，疏于领略，迨湘兰香散，剩有愁边羁客，谁念无裳，再世玉箫，徒存虚愿，赢得涧南蘋藻，长此相思耳。情与文一气旋转，忘其为声调所拘，转觉助其凄韵，自是名手。

探芳信

谢池晓。被酒滞春眠，诗萦芳草。正一阶梅粉，都未有人扫。细禽啼处东风软，嫩约关心早。未收灯，怕有残寒，故园稀到。　说道试妆了。也为我相思，占他怀抱。静数窗棂，最欢听鹊声好。半年白玉台边话，屡见银钩小。指芳期，夜月花阴梦老。

写景与言情，分前后段赋之。上阕言春寒懒出，嗟芳约之蹉跎；下阕言鹊信晨占，料伊人之眷念。观其句法若香篆之萦回，风度若柔丝之摇曳，乃梅溪擅胜处。“花阴梦老”四字尤有新致。

祝英台近

柳枝愁，桃叶恨，前事怕重记。红药开时，新梦又溱洧。此情老去须休，春风多事。便老去、越难回避。　阻幽会。应念偷剪酴醾，柔条暗萦系。节物移人，春暮更憔悴。可堪竹院题诗，藓阶听雨，寸心外、安愁无地。

人至老去，则绮障消除。乃春不饶人，洧曲芳菲，偏向白日钩惹，诚君房妙语也。唐人诗“此中方寸地，容得几多愁”，言愁多而心窄。此言愁如江水，齐赴心头，言愁来之专注，平子工愁，无以过之。

西江月

西月淡窥楼角，东风暗落檐牙。一灯初见影窗纱。又是重帘不下。　幽思屡随芳草，闲愁多似杨花。杨花芳草遍天涯。绣被春寒夜夜。

时已月上灯明，而卷上珠帘，所思不至，其惆怅可知。继言杨花芳草，已尽足撩人，况天涯遍是，欲排遣而无从。“绣被”六字句殊凄艳。读王丽真“床头锦衾斑复斑”诗，知独旦之悲矣。集中此调凡四首，今录一首。其第三首有“一片秋香世界，几层凉雨阑干”二句，秀雅而浑成。吴下有宋时网师园，老桂数株，先祖尝取此二句，以隶体书作楹联，悬于亭上。

解佩令

人行花坞。衣沾香雾。有新词、逢春分付。屡欲传情，奈燕子、不曾飞去。倚珠帘、咏郎秀句。　相思一度。浓愁一度。最难忘、遮灯私语。淡月梨花，借梦来、花边廊庑。指春衫、泪曾溅处。

凡言情之作，每先言我之怀人，而及人之念我。此作乃言重行花坞之人，先念我而吟旧句，其下始言我之相忆难忘。“淡月”三句言梨花院落，为当日别泪同弹处，今踪迹遥分，只能借一缕梦痕，向旧日回廊绕遍，重认衫边泪点。此三语情辞俱到。张功甫称其“织绡泉底，……夺苕艳于春景”者也。

点绛唇

六月十四夜，与社友泛湖过西陵桥，已子夜矣。

山月随人，翠蘋分破秋山影。钓船归尽。桥外诗心迥。
多少荷花，不盖鸳鸯冷。西风定。可怜潘鬓。偏浸秦台镜。

山影分波，写诗境之幽悄；观河面皱，感潘鬓之萧疏。荷花不护鸳鸯，犹广厦难庇寒士。四十字无字不工，如手折琼枝，片片皆美玉也。

青玉案

蕙花老尽离骚句。绿染遍、江头树。日暝酒消听骤雨。青榆钱小，碧苔钱古。难买东君住。　官河不碍遗鞭路。被芳草、将愁去。多定红楼帘影暮。兰灯初上，夜香初炷。犹是听鹦鹉。

同在春风骀荡之中，牢愁者榆苔钱小，难买春光；欢娱者香暖灯明，闲调鹦鹉，欣戚之不同如是。犹之“冠盖满京华，斯人独憔悴”，不知红楼帘影中人，其念及酒消听雨者耶？

湘江静

暮草堆青云浸浦。记匆匆、倦篙曾驻。渔榔四起，沙鸥未落，怕愁沾诗句。碧袖一声歌，石城怨、西风随去。沧波荡晚，菰蒲弄秋，还重到、断魂处。　酒易醒，思正苦。想空山、桂香悬树。三年梦冷，孤吟意短，屡烟钟津鼓。屐齿厌登临，移灯后、几番凉雨。潘郎渐老，风流顿减，闲居未赋。

此词纯写旅怀。“碧袖”二句如寒江闻笛，声声哀怨。下阕以作客之孤身，况历三年之久，烟钟津鼓，屡换关河，倦登王粲之楼，未卜潘郎之宅，烟尘长望，衰飒摧颜矣。

玲珑四犯

雨入愁边，翠树晚无人，风叶如剪。竹尾通凉，却怕小帘低卷。孤坐便怯诗悭，念俊赏、旧曾题遍。更暗尘、偷锁鸾镜，心事屡羞团扇。　卖花门馆生秋草，怅弓弯、几时重见。前欢尽属风流梦，天共朱楼远。闻道秀骨病多，难自任、从来恩怨。料也和前度，金笼鹦鹉，说人情浅。

值凉风如剪之时，孤吟感旧，已觉伤怀，况扇掩镜昏，愈形依黯。下阕不言己之负人，乃言对方怨我情浅，且托诸鹦鹉，而恩怨尔汝，又出于多病之人。屈曲写来，如帆随湘转，可见词心之细。

八归

秋江带雨，寒沙萦水，人看画楼愁独。烟蓑散响惊诗思，还被乱鸥飞去，秀句难续。冷眼尽归图画上，认隔岸、微茫云屋。想半属、渔市樵村，欲暮竞然竹。　须信风流未老，凭谁持酒，慰此凄凉心目。一鞭南陌，几篙官渡，赖有歌眉舒绿。只匆匆远眺，早觉闲愁挂乔木。应难禁、故人天际，望彻淮山，相思无雁足。

旅泊怀人之际，烟蓑响雨，惊起闲鸥，搅人诗思，写景幽悄。诗既未成，惟有远眺江山天然图画，以消遣闷怀。“微茫云屋”四字有东坡“屋小如渔舟，濛濛云水外”诗意。下阕虽换一境，亦即前意。频岁山程水驿，到处迁流，野店闻歌，孤篷听水，同是解客途之岑寂；但望断淮山，而故人天际，仍莫慰其客愁也。

齐天乐　白发

秋风早入潘郎鬓，斑斑遽惊如许。软雪侵梳，晴丝拂领，栽满愁城深处。瑶簪漫妒。便羞插宫花，自怜衰暮。尚想春情，旧吟凄断茂陵女。　人间公道惟此，叹朱颜也恁，容易堕去。涅了重缁，搔来更短，方悔风流相误。郎潜几缕。渐疏了铜驼，俊游俦侣。纵有黟黟，奈何诗思苦。

上下阕之前五句，皆专咏“白发”，其感怀皆在后幅。“宫花”二句春婆梦醒，功名同内翰之悲；“春情”二句卓女垆空，遗迹等黄门之悼，旧愁并赴，宜其满鬓星星矣。下阕“风流”四句，老年则朋辈无存，欲如昔日之铜驼巷陌，载酒寻芳，安得重招俊侣耶？

前调　赋橙

犀纹隐隐莺黄嫩，篱落翠深偷见。细雨重移，新霜试摘，佳处一年秋晚。荆江未远。想橘友荒凉，木奴嗟怨。就说风流，草泥来趁蟹螯健。　并刀寒映素手，醉魂沉夜饮，曾倩排遣。沆瀣含酸，金罂裹玉，蔌蔌吴盐轻点。瑶姬齿软。待惜取团圆，莫教分散。入手温存，帕罗香自满。

咏物词宜虚实兼写，此调上段前五句、下段前六句皆实赋“橙”字。“橘友”“蟹螯”四句借宾陪主，“瑶姬”五句寓人于物，便生情思，兼写闺情入细，下语殊精。

前调　中秋宿真定驿

西风来劝凉云去，天东放开金镜。照野霜凝，入河桂湿，一一冰壶相映。殊方路永。更分破秋光，尽成悲境。有客踌躇，古庭空自吊孤影。　江南朋旧在许，也怜天际远，诗思谁领。梦断刀头，书开虿尾，别有相思随定。忧心耿耿。对风鹊残枝，露蛩荒井。斟酌姮娥，九秋宫殿冷。

南宋词人，在渡江初者，每有汴洛之思。在末造者，每有周原之感。梅溪宦辙，未尝奉使北行，此殆客途经真定而作。既怀江左朋交，更凭吊秋风遗殿，残枝荒井，一片凄音，为集中所仅有。

秋霁

江水苍苍，望倦柳愁荷、共感秋色。废阁先凉，古帘空暮，雁程最嫌风力。故园信息。爱渠入眼南山碧。念上国。谁是、脍鲈江汉未归客。　　还又岁晚、瘦骨临风，夜闻秋声、吹动岑寂。露蛩悲、清灯冷屋。翻书愁上鬓毛白。年少俊游浑断得。但可怜处，无奈冉冉魂惊，采香南浦，剪梅烟驿。

因秋至而动归思，集中《满江红》有“好领青衫”句，《齐天乐》有“郎潜几缕”句，此词亦在宦游时思归而作耶？废阁古帘，写景极苍凉之思。下阕冷屋摊书，故交零落，虽剪梅采绿，风物依然，而俊游云散，惟孤秀自馨耳。《梅溪词》一卷，毛氏丛刻外，绝少单行。临桂王鹏运取周稚圭、戈顺卿二家所选，校订重刻之。卷首有嘉泰时张功甫序，称其词“有瑰奇、警迈、清新、闲婉之长，而无訑荡污淫之失，端可以分镳清真，平睨方回”。其推许甚至。今所选释外，尚有佳句。如《恋绣衾》词云：“愁便是、秋心也，又随人、来到画楼。”“瘦骨怕、红绵冷，记年时、斗帐夜分。”《玲珑四犯》云：“轻梦听彻风蒲，又散入、楚空清晓。问世间、愁在何处，不离淡烟芳草。”《贺新郎》云：“匝岸烟霏吹不断，望楼阴、欲带朱桥影。和草色，入轻暝。”“落日年年宫树绿，堕新声、玉笛西风劲。”为摘录于后。

高观国　十六首

临江仙

风月生来人世，梦魂飞堕仙津。青春日日醉芳尘。一鞭花陌晓，双桨柳桥春。　前度诗留醉袖，昨宵香浥罗巾。小姬飞燕是前身。歌随流水咽，眉学远山颦。

作绮艳语须含雅度，此作后二句情景交融，不加雕缋，尤有余味。

齐天乐

碧云缺处无多雨，愁与去帆俱远。倒苇沙闲，枯兰砌冷，寥落寒江秋晚。楼阴纵览。正魂怯清吟，病多依黯。怕揖西风，袖罗香自去年减。　风流江左久客，旧游得意处，朱帘曾卷。载酒春情，吹箫夜约，犹忆玉娇香软。尘栖故苑。叹壁月空檐，梦云飞观。送绝征鸿，楚峰烟数点。

竹屋词无一平笔，跃冶精金，字字皆捶炼而出。此调起笔便迥绝恒蹊，以下语皆秀峻。“袖罗”“西风”句新思密意，尤为擅场。下阕追忆旧游，有小杜扬州之感。结句废苑尘凝，楚峰烟淡，望彼美于遥天，对苍茫而独立，宜其“魂怯清吟”也。

贺新郎　赋梅

月冷霜袍拥。见一枝、年华又晚，粉愁香冻。云隔溪桥人不度，的皪春心未纵。清影怕、寒波摇动。更没纤毫尘俗态，倚高情、预得春风宠。沉冻蝶，挂么凤。　一杯正要吴姬捧。想见那、柔酥弄白，暗香偷送。回首罗浮今在否，寂寞烟迷翠栊。又争奈、桓伊三弄。开遍西湖春意烂，算群花、正作江山梦。吟思怯，暮云重。

赋梅花者，白石之《暗香》《疏影》，群推绝调。宋人咏梅词夥矣，各有侔色揣称之工。此词如太华霜钟，发尘外清响。上阕写梅之将开，押“拥”“纵”“宠”三韵，独标新警。下阕咏梅开，而罗浮惊翠羽之啼，江上感桓伊之弄，若即若离，寄情绵远。“群花”句致慨尤深，当严风盛雪，玉骨孤撑，俯视春山万卉，皆在酣梦之中，作者其借梅自喻耶！

玉胡蝶　秋思

唤起一襟凉思，未成晚雨，先做秋阴。楚客悲残，谁解此意登临。古台荒、断霞斜照，新梦黯、微月疏砧。总难禁。尽将幽恨，分付孤斟。　从今。倦看青镜，既迟勋业，可负烟林。断梗无凭，岁华摇落又惊心。想莼汀、水云愁凝，闲蕙帐、猿鹤悲吟。信沉沉。故园归计，休更侵寻。

因秋至而感怀，不作怨尤语，亦不作出世想，归志浩然，句工而音雅，宜《草堂集》选此一调。人谓竹屋与邦卿相伯仲。陈造序其词，谓妙处即少游、美成亦未及。余谓可拟“翡翠兰苕”,未可“掣鲸鱼于碧海”也。

齐天乐　中秋夜怀梅溪

晚云知有关山念，澄霄卷开清霁。素影分中，冰盘正溢，何啻婵娟千里。危阑静倚。正玉管吹凉，翠觞留醉。记约清吟，锦袍初唤醉魂起。　孤光天地共影，浩歌谁与舞，凄凉风味。古驿烟寒，幽垣梦冷，应念秦楼十二。归心对此。想斗插天南，雁横辽水。试问姮娥，有愁能为寄。

竹屋词非特措语精粹，诵此调令人增友谊之重。张叔夏极称其词，谓可与白石、梦窗、梅溪并驾。其《金人捧露盘》词“新愁万斛，为春瘦、却怕春知”，《祝英台近》词“惊愁搅梦，更不管、庾郎心碎”，皆称警句。

兰陵王　春雨

洒尘阁。幂幂天垂似幕。春寒峭，吹断万丝，湿影和烟暗帘箔。清愁晓来觉。佳景愔愔过却。芳郊外，莺恨燕愁，不管秋千冷红索。　行云楚台约。念今古凝情，朝暮如昨。啼红湿翠春情薄。漫一犁江上，半篙堤外，勾引轻阴趁暮角。正孤绪寂寞。　斑驳。止还作。听点点檐声，沉沉春酌。只愁入夜东风恶。怕催教花放，趁将花落。溟濛烟草，梦正远，恨怎托。

赋春雨而景与人合咏。前段“晓来”句惜春色之蹉跎，尚是虚写。中段起句已转入怀人。“啼红”句更进一层。“江上”“堤外”二句写离思兼带雨意，情景并到。三段“入夜东风”句笔意开拓。清真《兰陵王》词中段之“梨花榆火催寒食”、三段之“斜阳冉冉春无极”皆用顿挫之笔，其下自迎刃而解。此调“啼红”及“东风”二句皆在中段着力，与清真相似。且“楚台”句用襄王事，“春酌”句用杜陵诗，以“暮”字、“檐”字点明之，关合“雨”字，可见词心之细。

御街行　赋轿

藤筠巧织花纹细。称稳步、如流水。踏青陌上雨初晴，嫌怕湿、文鸳双履。要人送上，逢花须住，才过处、香风起。　裙儿挂在帘儿底。更不把、窗儿闭。红红白白簇花枝，恰称得、寻春芳意。归来时晚，纱笼引道，扶下人微醉。

此题咏之者绝少。“稳步流水”句状舁夫之技能，“逢花须住”与开窗四盼等句，状乘轿者之闺情，且陌上遇雨及归途扶醉，皆需轿之由也。

前调　赋帘

香波半窣深深院。正日上、花阴浅。青丝不动玉钩闲，看翠额、轻笼葱蒨。莺声似隔，篆烟微度，爱横影、参差满。　那回低挂朱阑畔。念闷损、无人卷。窥春偷倚不胜情，仿佛见、如花娇面。纤柔缓揭，瞥然飞去，不似春风燕。

赋本题仅“玉钩”“翠额”及“横影”三句，余皆从旁面着想。“莺声”二句在虚处咏“帘”入细。转头处虽仅言帘垂不卷，而笔意已注帘内之人，故下云仿佛见之，神光离合，仍由“帘”字生情。结句余思尤长。

玲珑四犯

水外轻阴，做弄得飞云，吹断晴絮。驻马桥西，还系旧时芳树。不见翠陌寻春，漫问着、小桃无语。恨燕莺、不识闲情，却隔乱红飞去。　少年曾失春风意，到如今、怨恨难诉。魂惊冉冉江南远，烟草愁如许。此意待写翠笺，奈断肠、都无新句。问甚时、舞凤歌鸾，花里再看仙侣。

驻马重游，而言还系芳树；旧人不见，而言问花无语，皆见词心婉妙。转头处“少年”以下四句，寄怀缥缈，朱竹垞所谓“空中传恨”也。“翠笺”“断肠”二句为此篇擅胜处。结句虽应有之意，稍嫌说尽。

解连环　柳

露条烟叶。惹长亭旧恨，几番风月。爱细缕、先窣轻黄，渐拂水藏鸦，翠阴相接。纤软风流，眉黛浅、三眠初歇。奈年华又晚，萦绊游蜂，絮飞晴雪。　依依灞桥怨别。正千丝万绪，难禁愁绝。怅岁久、应长新条，念曾系花骢，屡停兰楫。弄影摇晴，恨闲损、春风时节。隔邮亭、故人望断，舞腰瘦怯。

凡咏物词，大都先赋物，后言情。此调上阕固专咏柳，下阕因柳感怀，而仍由“柳”字发挥。结句怀友而归至本题，不黏不脱。咏柳题本非难，佳处在细腻熨贴而仍萦拂有情也。

烛影摇红

别浦潮平，远村帆落烟江冷。征鸿相唤着行飞，不耐霜风紧。雪意垂垂未定。正惨惨、云横疏影。酒醒情绪，日晚登临，凄凉谁问。　行乐京华，软红不断香尘喷。试将心事卜归期，终是无凭准。寥落年华将尽。误玉人、高楼凝恨。第一休负，西子湖边，江梅春信。

前半虽仅言水程风物，而云寒风紧，正客心孤迥之时。竹屋为山阴人，故下阕之起结句皆追忆临安，况归计稽迟，而伊人洄溯，宜其日晚登临，客愁未际矣。结处“江梅”二句与姜白石《长亭怨慢》调“第一是、早早归来，怕红萼、无人为主”思致相似。

喜迁莺

凉云归去。再约着，晚来西楼风雨。水静帘阴，鸥闲菰影，秋到露汀烟浦。试省唤回幽恨，尽是愁边新句。倦登眺，动悲凉还在，残蝉吟处。　凄楚。空见说，香锁雾扃，心似秋莲苦。宝瑟弹冰，玉台窥月，浅黛可怜偷聚。几时翠沟题叶，无复绣帘吹絮。鬓华晚，念庾郎情在，风流谁与。

上阕残秋风雨，一片凄迷，有愁到鸥边之感。下阕为伊人写怨，已极哀艳，况绣帘人远，应愁损庾郎矣。玉田评宾王词云："特立清新之意，删削靡曼之词，自成一家。"

卜算子　泛西湖坐间寅斋同赋

屈指数春来，弹指惊春去。檐外蛛丝网落花，也要留春住。　几日喜春晴，几夜愁春雨。十二雕窗六曲屏，题遍伤春句。

前四句未脱送春恒径，其着意在末句题遍屏窗，可见乱愁无次，不仅伤春也。

少年游　草

春风吹碧，春云映绿，晓梦入芳裀。软衬飞花，远随流水，一望隔香尘。　　萋萋多少，江南旧恨，翻忆翠罗裙。冷落闲门，凄迷古道，烟雨正愁人。

“飞花”“流水”三句咏草固工，兼寓“春随人远”之感。后幅闲门古道，怀古伤今，百端交集，若平子之工愁矣。

祝英台近　荷花

拥红妆，翻翠盖，花影暗南浦。波面澄霞，兰艇采香去。有人水溅红裙，相招晚醉，正月上、凉生风露。　　两凝伫。别后歌断云闲，娇姿黯无语。魂梦西风，端的此心苦。遥想芳脸轻颦，凌波微步，镇输与、沙边鸥鹭。

此借荷花而忆赏荷之人。“兰艇”句以下才逢旋别，去住关情。“西风”“心苦”句仍映带荷花。结处“微步”“轻颦”，能领略者，惟香边鸥鹭，亦人与花关合，非专咏荷花也。

清平乐

春芜雨湿。燕子低飞急。云压前山群翠失。烟水满湖轻碧。　小莲相见湾头。清寒不到青楼。请上琵琶弦索，今朝破得春愁。

燕因避雨而急飞，押“急”字韵颇工。“云压”句有少陵“归云拥树失山村”诗意。下阕纵极清寒，而青楼人不觉，一拂冰弦，万愁尽破，弹者可字作莫愁，听曲者亦破颜一笑矣。

林正大 一首

满江红

为忆当时，沉醉里、青楼弄月。闲想像、绣帷珠箔，魂飞心折。羞向姮娥谈旧事，几经三五盈还缺。望翠眉、蝉鬓一天涯，伤离别。　寻昨梦，巫云结。流别泪，湘江咽。对花深两岸，忽添悲切。试与含愁弹绿绮，知音不遇弦空绝。忽窗前、一夕寄相思，梅花发。

林著有《风雅遗音》，为嘉泰间词人。此词括卢仝《有所思》诗意，笔颇清老，而少骀荡夷犹之致。

岳珂　二首

满江红

小院深深，悄镇日、阴晴无据。春未足、闺愁难寄，琴心谁与。曲径穿花寻蛱蝶，虚阑傍日教鹦鹉。笑十三、杨柳女儿腰，东风舞。　云外月，风前絮。情与恨，长如许。想绮窗今夜，与谁凝伫。洛浦梦回留佩客，秦楼声断吹箫侣。正黄昏、时候杏花寒，廉纤雨。

作《满江红》词者，多咏事感怀。倦翁乃倚高抗之调，写掩抑之意。上阕就彼姝着想，“曲径”“虚阑”等句见春昼之无聊。下阕彼此两面合写，风情凄婉。歇拍处与清真《瑞龙吟》结句“纤纤池塘飞雨”意境相似。

祝英台近　登多景楼

瓮城高，盘径近。十里笋舆稳。欲驾还休，风雨苦无准。古来多少英雄，平沙遗恨。又总被、长江流尽。　倩谁问。因甚衣带中分，吾家自畦畛。落日潮头，漫写属镂愤，断肠烟树扬州，兴亡休论。正愁尽、河山双鬓。

《京口三山志》谓此词系登多景楼作。珂为忠武王之孙，宜其北望神州，有属镂遗恨也。珂与张功甫、张叔夏皆以南渡王孙而工词翰，珂著述尤富。

严仁 八首

水龙吟 题盱江伟观

城头杰观峥嵘，重阑下瞰苍龙脊。镂珉盘础，雕檀竦棨，玲珑金碧。华子冈头，麻源谷口，神仙窟宅。道至今清夜，月明风冷，常隐隐、闻笙笛。　翠壁烟霞缥缈，更寒泉、飞空千尺。数峰江上，孤舟天际，夕阳红湿。抖擞征尘，浩然长啸，跨青鸾翼。向凤冈西望，遥酾斗酒，酹文章伯。

先就伟观之建筑及地望仙踪，次第写来，应有尽有，笔亦朗健。下阕气局展拓，“数峰”三句写景浑成，“夕阳红湿”四字尤佳。结句乃为山下故友之墓而作也。

鹧鸪天　闺情

高杏酣酣出短墙。垂杨袅袅蘸池塘。文鸳藉草眠春昼，金鲫吹波弄夕阳。　闲倚镜，理明妆。自翻银叶炷衙香。鸣鞭已过青楼曲，不是刘郎定阮郎。

词为闺情而作，故“文鸳”“金鲫”等句写景妍秀，与题相称。下阕结句有“过尽千帆皆不是”之感，宜其倚镜焚香，不胜怅惘也。

南柯子

柳陌通云径，琼梳启翠楼。桃花纸薄渍冰油。记得年时，诗句为君留。　晓绿千层出，春红一半休。门前溪水泛花流。流到西州，犹是故家愁。

花笺留句，有“长毋相忘”之意。“晓绿”二句状残春景物颇工。结句含情无际。尚有《一落索》调，结句云：“一春不忍上高楼，为怕见、分携处。”黄叔旸谓次山词“极能道闺闱之趣”。

菩萨蛮　双溪亭

征鸿点破空云碧。丹霞染出新秋色。返照落平洲。半江红锦流。　风清渔笛晚。寸寸愁肠断。寄语笛休横。只消三两声。

“返照”二句有“一道残阳铺水中，半江瑟瑟半江红”诗意。结句工于言愁，如听巫峡哀猿之啸，所谓不待第三声也。

玉楼春

春风只在园西畔。荠菜花繁胡蝶乱。冰池晴绿照还空，香径落红吹已断。　意长翻恨游丝短。尽日相思罗带缓。宝奁如月不欺人，明日归来君试看。

明镜照愁，常语也。作者“宝奁”七字，古意深思，独标新警。

一落索

清晓莺啼红树。又一双飞去。日高花气扑人来，独自价、伤春无绪。　　别后暗宽金缕。倩谁传语。一春不忍上高楼，为怕见、分携处。

黄叔旸谓次山词“极能道闺闱之趣”。观此调后二句，洵如其评语。

鹧鸪天

一曲危弦断客肠。津桥捩舵转牙樯。江心云带蒲帆重，楼上风吹粉泪香。　　瑶草碧，柳芽黄。载将离恨过潇湘。请君看取东流水，方识人间别意长。

以“江心”“楼上”对举，离怀自见。以句法论，在晚唐律诗中亦是佳联。结处“东流水”二句虽从唐人“请君试问东流水，别意与之谁短长”诗句脱化，而用其意作此词结句，颇有远韵。

前调

行尽春山春事空。别愁离恨满江东。三更鼓润官楼雨，五夜灯残客舍风。　寒淡淡，晓胧胧。黄鸡催断丑时钟。紫骝嚼勒金衔响，冲破飞花一道红。

“鼓润”“灯残”二语浑成而含凄韵。结处二语写送别而以新丽出之，自非弱手。

严参 一首

沁园春 题吴明仲竹坡

竹焉美哉，爱竹者谁，曰君子欤。向佳山水处，筑宫一亩，好风烟里，种玉千余。朝引轻霏，夕延凉月，此外尘埃一点无。须知道，有乐其乐者，吾爱吾庐。　竹之清也何如。应料得、诗人清矣乎。况满庭秀色，对拈彩笔，半窗凉影，伴读残书。休说龙吟，莫言凤啸，且道高标谁胜渠。君试看，正绕坡云气，似渭川图。

通首咏竹坡，一气旋折，与稼轩、龙洲相似。

刘克庄　九首

满江红　夜雨凉甚，忽动从戎之兴

金甲雕戈，记当日、辕门初立。磨盾鼻、一挥千纸，龙蛇犹湿。铁马晓嘶营壁冷，楼船夜渡风涛急。有谁怜、猿臂故将军，无功级。　平戎策，从军什。零落尽，慵收拾。把《茶经》《香传》，时时温习。生怕客谈榆塞事，且教儿诵《花间集》。叹臣之壮也不如人，今何及。

后村在淳祐间，邀文名久著，史学尤精，受宸赏，负一时人望。所撰《别调》一卷，杨升庵谓其“壮语足以立懦”。此词上阕言功成不赏，下阕言老厌谈兵，雕戈、铁马，曾夸射虎之英雄；《香传》《茶经》，愿作骑驴之居士，应笑拔剑斫地者，未消块垒也。

清平乐

顷枉维扬，陈师文参议家舞姬绝妙，赋此。

宫腰束素。只怕能轻举。好筑避风台护取。莫遣惊鸿飞去。　一团香玉温柔。笑颦俱有风流。贪与萧郎眉语，不知舞错伊州。

上阕惜其轻盈，有杜牧诗“向春罗袖薄，谁念舞台风”之意。下阕窥其衷曲，有李端诗“欲得周郎顾，时时误拂弦”之意。后村词大率与辛稼轩相类，人称其雄力足以排奡，此词独标妩媚，殆如忠简梨涡、欧阳江柳耶？

沁园春　梦方孚若

何处相逢，登宝钗楼，访铜雀台。唤厨人斫就，东溟鲸脍，圉人呈罢，西极龙媒。天下英雄，使君与操，余子谁堪共酒杯。车千乘，载燕南代北，剑客奇材。　饮酣鼻息如雷。谁信被、晨鸡催唤回。叹年光过尽，功名未立，书生老去，机会方来。使李将军，遇高皇帝，万户侯何足道哉。推衣起，但凄凉感旧，慷慨生哀。

人若具此健笔，胸中当磊落不平时，即泼墨倾写，亦一快事。宋人评东坡词，谓以作论之笔为词，后村殆亦同之。

前调　寄九华叶贤良

一卷阴符，二石硬弓，百斤宝刀。更玉花骢喷，鸣鞭电抹，乌丝阑展，醉墨龙跳。牛角书生，虬须豪客，谈笑皆从折简招。依稀记，曾请缨系粤，草檄征辽。　当年目视云霄。谁信道凄凉今折腰。怅燕然未勒，南归草草，长安不见，北望迢迢。老去胸中，有些磊块，歌罢犹须着酒浇。休休也，但帽边鬓减，镜里颜凋。

笔锋犀利，若并刀翦水；音节高抗，若霜夜鸣笳，临风高咏，千载下如闻叹息声也。

贺新郎　郡会闻妓歌有感

妾出于微贱。少年时、朱弦弹绝，玉笙吹遍。粗识诗家关雎乱，羞学流莺百啭。总不涉、闺情春怨。谁向西邻公子说，要珠鞍、迎入梨花院。身未动，意先懒。　　主家十二楼连苑。那人人、靓妆按曲，绣帘初卷。道是画堂箫管唱，笑杀街坊拍衮。回首望、侯门天远。我有平生离鸾操，颇哀而不愠微而婉。聊一奏、更三叹。

以天涯沦落之身，而申礼自持若是，似寒梅一枝，独立于盛雪严风之际，较商妇琵琶，别有一种感叹。托彼美以通辞，表余心之高洁，如怨如诉，绝妙词也。

满江红　二月二十四夜，饮海棠花下作

老子年来，颇自许、心肠铁石。尚一点、消磨未尽，爱花成癖。懊恼每嫌寒勒住，丁宁莫被晴烘坼。奈暄风、烈日太无情，如何得。　　张画烛，频频惜。凭素手，轻轻摘。更一番风过，彩云无迹。今夕不来花下饮，明朝空向枝头觅。对残红、满院杜鹃啼，添愁寂。

起四句便表出惜花本意，下阕有莫折空枝之感。以抗爽之笔，写芳悱之怀，若剑器舞公孙，刚健与婀娜相杂也。

清平乐　五月十五夜玩月

风高浪快。万里骑蟾背。曾识姮娥真体态。素面元无粉黛。　身游银阙珠宫。俯看积气濛濛。醉里偶摇桂树，人间唤作凉风。

一扫咏月陈言，奇逸之气，见于楮墨。

长相思　惜梅

寒相催。暖相催。催了开时催谢时。丁宁花放迟。
角声吹。笛声吹。吹了南枝吹北枝。明朝成雪飞。

花开便落，莫如不开，佛氏所谓无得亦无失也。词为惜花，而殊有悟境。转头处二句以角声、笛声中皆有落梅之曲，词家屡用之。

生查子　元夕戏陈敬叟

繁灯夺霁华，戏鼓侵明发。物色旧时同，情味中年别。
浅画镜中眉，深拜楼西月。人散市声收，渐入愁时节。

后村序《陈敬叟集》云："旷达如列御寇、庄周，饮酒如阮嗣宗、李太白，笔札如谷子云，行草篆隶如张颠、李潮，乐府如温飞卿、韩致光。"推许甚至。此词云戏赠者，殆以敬叟之旷达，而情入中年，易萦旧感，人归良夜，渐入愁乡，其襟怀亦不异常人，故戏赠之。

郑觉斋 一首

扬州慢 琼花

弄玉轻盈，飞琼淡泞，袜尘步下迷楼。试新妆才了，炷沉水香球。记晓剪、春冰驰送，金茎露湿，缇骑星流。甚天中月色，被风吹梦南州。　樽前相见，似羞人、踪迹萍浮。问弄雪飘枝，无双亭上，何日重游。我欲缠腰骑鹤，烟霄远、旧事悠悠。但凭阑无语，烟花三月春愁。

此调与施芸隐作同工而异曲。起数语即由本题发挥，且人与花合写。“缇骑”“驰送”数句，隋宫逸事，类蜀道之送荔支。下阕无双亭上陈迹依依，“樽前”及“烟花”等句隐有人在，殆名花倾国，皆在回忆中也。

宋自逊　一首

蓦山溪　自述

壶山居士，未老心先懒。爱学道人家，办竹几、蒲团茗碗。青山可买，小结屋三间，开一径，俯清溪，修竹栽教满。　客来便请，随分家常饭。若肯小留连，更薄酒、三杯两盏。吟诗度曲，风月任招呼，身外事，不关心，自有天公管。

作旷达语，宋词中每见之。此词擅胜者，在笔气疏爽直达，结句尤为见道语，惟其信天任命，始能达观，非矫情也。

刘子寰　一首

沁园春　西岩三涧

云壑泉泓，小者如杯，大者如罂。更石筵平莹，宽容数客，淙流回激，环绕飞觥。三涧交流，两崖悬瀑，捣雪飞霜落翠屏。经行处，有丹荑碧草，古木苍藤。　徘徊却倚山楹。笑山水、娱人若有情。见旁回侧转，峰峦叠叠，欲穷还有，岩谷层层。仰视云间，茅茨鸡犬，疑有仙家来避秦。青林表，望烟霞缥缈，隐隐鸾声。

上阕咏泉源飞瀑，能曲状泉石之胜。下阕但写山景。昔年行秦晋深山中，峰回路转，百折不穷，仰见山民屋宇，参差出烟霭中，此词能写出之。

李昴英　一首

兰陵王

燕穿幕。春在深深院落。单衣试、龙沫旋薰，又怕东风晓寒薄。别来情绪恶。瘦得腰围柳弱。清明近、正似海棠，怯雨芳踪任飘泊。　钗留去年约。恨易老娇莺，多误灵鹊。碧云杳渺天涯各。望不断芳草，更迷香絮，回文强写字屡错。泪欲注还阁。　孤酌。住春脚。便彩局谁饮，宝轸慵学。阶除拾取飞花嚼。是多少春恨，等闲吞却。猛拍阑干，叹命薄，悔旧诺。

文溪以送王太守词得名，叔旸称为“词家射雕手”。杨用修则极称《兰陵王》一首，谓“可并秦、周”。

吴文英　五十四首

八声甘州　陪庾幕诸公游灵岩

渺空烟四远，是何年、青天坠长星。幻苍崖云树，名娃金屋，残霸宫城。箭径酸风射眼，剑水染花腥。时靸双鸳响，廊叶秋声。　宫里吴王沉醉，倩五湖倦客，独钓醒醒。问苍波无语，华发奈山青。水涵空、阑干高处，送乱鸦、斜日落渔汀。连呼酒，上琴台去，秋与云平。

梦窗词近三百首，《绝妙好词》选十六调，以此调冠首。弁阳翁题句以“犹想乌丝醉墨，惊俊语香红围绕”及“依旧故人怀抱”称之，可见相知之深。此调起笔警拔，谓奇峰自天际飞来。第三句以幻字点醒之，其笔势亦如长星坠空也。“名娃”二句有儿女英雄同归冥漠之感。其地有箭径、剑水，故用“射”字、“腥”字以映带之，而归到响屧，以秋声寓怀古之意。其下咏吴宫往事，醒醉相形，写以轻笔，即承以水碧山青，发苍凉之慨。结尾四句如霜天晓角，愈转愈高，宜“秋与云平”二语，推为警句也。

霜花腴 重阳前一日泛石湖

翠微路窄，醉晚风、凭谁为整欹冠。霜饱花腴，烛消人瘦，秋光做也都难。病怀强宽。恨雁声、偏落歌前。记年时、旧宿凄凉，暮烟秋雨野桥寒。　妆靥鬓英争艳，度清商一曲，暗坠金蝉。芳节多阴，兰情稀会，晴晖称拂吟笺。更移画船。引佩环、邀下婵娟。算明朝、未了重阳，紫萸应耐看。

此自度曲也。起三句有英俊气。“霜饱”句凡咏菊者无人道及。“烛消”句善写秋怀，此八字为篇中骊珠，“花腴”而“人瘦”，故以“秋光难做”承之。“野桥秋雨”乃追忆旧游。下阕赋舟中歌妓。“芳节”数语谓九日每多阴雨，喜值新晴，小舫听歌，更饶逸兴。篇终述及明朝，为纪重阳前一日也。张玉田《题霜花腴卷后》

谓“独怜水楼赋笔”“润墨空题”，殊有“曲终人远”之思。《梦窗四稿》首录此二词者，为公谨、玉田所推重也。

风入松

听风听雨过清明。愁草瘗花铭。楼前绿暗分携路，一丝柳、一寸柔情。料峭春寒中酒，交加晓梦啼莺。　西园日日扫林亭。依旧赏新晴。黄蜂频扑秋千索，有当时、纤手香凝。惆怅双鸳不到，幽阶一夜苔生。

“丝柳”七字写情而兼录别，极深婉之思。起笔不遽言送别，而伤春惜花，以闲雅之笔引起愁思，是词手高处。“黄蜂”二句于无情处见多情，幽想妙辞，与“霜饱花腴”“秋与云平”皆稿中有数名句。结处“幽阶”六字，在神光离合之间，非特情致绵邈，且余音袅袅也。

西江月　赋瑶圃青梅枝上晚花

枝袅一痕雪在，叶藏几豆春浓。玉奴最晚嫁东风。来结梨花幽梦。　香力添熏罗被，瘦肌犹怯冰绡。绿阴青子老溪桥。羞见东邻娇小。

词借晚花为喻，言着花已过芳时，纵勉及残春，自惜香微而肌瘦，乃隐寓士不遇之感。老去冯唐，鬓丝看镜，遇娇小邻姬，能无羞见耶？

声声慢

陪幕中饯孙无怀于郭希道池亭，闰重九前一日。

檀栾金碧，婀娜蓬莱，游云不蘸芳洲。露柳霜莲，十分点缀成秋。新弯画眉未稳，似含羞、低护墙头。愁送远，驻西台车马，共惜临流。　知道池亭多宴，掩庭花长是，惊落秦讴。腻粉阑干，犹闻凭袖香留。输他翠涟拍甃，瞰新妆、时浸明眸。帘半卷，带黄花、人在小楼。

此调为闰重九饮郭园而作。《梦窗乙稿·绛都春》自序云："余往来清华池馆六年，……感昔伤今，益不堪怀。"其词有"尚追想凌波微步。小楼重上，凭谁为唱，旧时金缕"句。又《花心动》调咏"郭清华新轩"有"应时锁蛛丝，浅虚尘榻""半窗掩，日长困生翠睫"句。郭园当即郭清华池馆，人与地俱不可考。此词上阕叙残秋风物，归到送远。转头处追忆池馆歌筵之盛，翠水秋寒，朱阑人远，剩有一泓澄碧，曾照明眸，极写其悱恻之怀。歇拍二句为时传诵，“帘半卷”见境之幽悄，“带黄花”言人之淡逸，不仅以黄花映带重九。“小楼”句即《绛都春》之“小楼重上”，当是郭园实有此楼，今楼空人去，惆怅吴郎矣。

玉漏迟

絮花寒食路。晴丝罥日，绿阴吹雾。客帽欺风，愁满画船烟浦。彩挂秋千散后，怅尘锁、燕帘莺户。从间阻。梦云无准，鬓霜如许。　夜久绣阁藏娇，记掩扇传歌，剪灯留语。月约星期，细把花须频数。弹指一襟怨恨，漫空倩、啼鹃声诉。深院宇。黄昏杏花微雨。

前半平叙芳春送别，笔轻而辞丽。后半“剪灯”“掩扇”，写情致之缠绵；“月约星期”怅归舟之迢递。“花须”句与“试把花卜归期，才簪又重数”词意相似，而以“弹指”两字承上五句，则旧情无数，刹那间已化春烟，积感重重，焉得逢人而语，诉愁者惟有啼鹃耳。“黄昏”六字作结句，能情景兼融，传神空际，乃词家秘钥也。〇按此词或作赵闻礼词。

惜秋华　重九

细响残蛩，傍灯前似说，深秋怀抱。怕上翠微，伤心乱烟残照。西湖镜掩尘沙，翳晓影、秦鬟云绕。新鸿，唤凄凉、渐入红萸乌帽。　江上故人老。视东篱秀色，依然娟好。晚梦趁，邻杵断，乍将愁到。秋娘泪湿黄昏，又满城、雨轻风小。闲了。看芙蓉、画船多少。

此调佳处在起结。秋夜虫声，寻常意境，从残蛩着想，顿尔灵动。接以“乱烟残照”句，托想空阔。下阕“秋娘”四句，悲秋者泪洒黄昏，赏秋者画船闲却，皆若“吹皱一池春水，干卿底事”,而言愁欲愁，多情人别有怀抱也。

青玉案

短亭芳草长亭柳。记桃叶、烟江口。今日江村重载酒。残杯不到，乱红青冢，满地闲春绣。　翠阴曾摘梅枝嗅。还忆秋千玉葱手。红索倦将春去后。蔷薇花落，故园胡蝶，粉薄残香瘦。

旗亭往事，已紫玉烟消，昔人“一滴何曾到九泉”句，语固沉痛，此词“残杯”“青冢”三句，同一荒茔酹酒，以蕴藉出之，沈伯时所谓词家“用字不可太露”也。下阕“秋千”句与稿中《风入松》之“黄蜂频扑秋千索”句同感。合两词观之，纤手曾扶，乃忆当年实事。余昔在巨宅，曾见庭院秋千之架，今都邑间久无此戏矣。结句五字殊雅。《乐府指迷》云：“（填词）下字欲其雅，不雅则近乎缠令之体”矣。

前调

新腔一唱双金斗。正霜落、分甘手。已是红窗人倦绣。春词裁烛，夜香温被，怕减银壶漏。　吴天雁晓云飞后。百感情怀顿疏酒。彩扇何时翻翠袖。歌边拚取，辞魂和梦，化作梅边瘦。

上阕回首当年之事。对酒闻歌以后，更红烛温香，何等风怀旖旎！乃雁断云飞以后，百感都来，既酒边人去，醉魂无着，只堪寄与梅花。与“约个梅魂，轻怜细语”句皆写无聊之思，绮语而兼幽想也。

好事近

飞露洒银床，叶叶怨梧啼碧。蕲竹粉连香汗，是秋来陈迹。　藕丝空缆宿湖船，梦阔水云窄。还系鸳鸯不住，老红香月白。

“飞露”二句寻常露滴梧桐，以字字矜炼出之，固经意之句，亦南宋名家之异于北宋处。“竹粉”二句陈迹犹存，而伊人已渺，故下阕接以怀人。柳丝系舟，词中所恒用，此“藕丝”二字殊新，只系湖船而不系鸳鸯。至香老月寒，长劳梦想，烟岛寒塘，自伤只影，等一鸾之羞舞矣。

唐多令

何处合成愁。离人心上秋。纵芭蕉、不雨也飕飕。都道晚凉天气好，有明月、怕登楼。　年事梦中休。花空烟水流。燕辞归、客尚淹留。垂柳不萦裙带住，漫长是、系行舟。

首二句以“心上秋”合成“愁”字，犹古乐府之“山上复有山”，合成征人之“出”字。金章宗之“二人土上坐”，皆藉字以传情，妙语也。“垂柳”二句与《好事近》词“藕丝缆船”同意。“明月”及“燕归”二句，虽诗词中恒径，而句则颇耐吟讽。张叔夏以“疏快”两字评之，殊当。

高阳台　落梅

宫粉雕痕，仙云堕影，无人野水荒湾。古石埋香，金沙锁骨连环。南楼不恨吹横笛，恨晓风、千里关山。半飘零、庭院黄昏，月冷阑干。　寿阳宫里愁鸾镜，问谁调玉髓，暗补香瘢。细雨归鸿，孤山无限春寒。离魂难倩招清些，梦缟衣、解佩溪边。最愁人、啼鸟晴明，叶底青圆。

起二句字字捶炼。以下“野水”三句言山野之“落梅”,“黄昏”二句言庭院之“落梅”。下阕言“寿阳”,言“孤山”皆用梅花故事以渲染之。凡咏落花者，每借花以怀人，此则但赋“落梅”，虽词意凄然，正如《曝书亭词》所谓“一半是空中传恨”也。但“千里关山”句寓离索之思，“叶底青圆”句发蹉跎之悔，兼有“绿叶成阴子满枝”之感。论者谓梦窗言情诸作，皆为所眷彼姝而发，虽未必尽然，但此词当有所指。

朝中措

晚妆慵理瑞云盘。针线傍灯前。燕子不归帘卷，海棠一夜孤眠。　踏青人散，遗钿满路，雨打秋千。尚有落花寒在，绿杨未褪青绵。

“晚妆”二句就闺中而言，见孤闷之无俦；“踏青”二句就春游而言，见繁华之易散。两段皆后二句见本意。燕去空劳帘卷，有“锦衾独旦”之悲；青绵尚有余寒，有“翠袖佳人”之感。作者长于怨悱矣。

浪淘沙

灯火雨中船。客思绵绵。离亭春草又秋烟。似与轻鸥盟未了，来去年年。　往事一潸然。莫过西园。凌波香断绿苔钱。燕子不知春事改，时立秋千。

前半写作客情怀，宛转动人。况旧梦西园，凌波香断，则劳薪双足，益自伤矣。“燕立秋千”与“黄蜂频扑秋千索”句一若有知，一若无知，而感人怀抱则同。唐人诗“飞鸟不知陵谷变，朝来暮去弋阳溪”“庭树不知人去尽，春来还发旧时花”，一兴禾黍之悲，一寓故家之感。此词咏燕，则有悱恻之怀。无情之燕子，久看世态，似胜于人之有情；但万有终归寂灭，则无情与有情，亦彭殇一例耳。

高阳台　丰乐楼分韵得如字

修竹凝妆，垂杨驻马，凭阑浅画成图。山色谁题，楼前有雁斜书。东风紧送斜阳下，弄旧寒、晚酒醒余。自消凝、能几花前，顿老相如。　伤春不在高楼上，在灯前欹枕，雨外熏炉。怕舣游船，临流可奈清癯。飞红若到西湖底，搅翠澜、总是愁鱼。莫重来、吹尽香绵，泪满平芜。

此在丰乐楼与客分韵而作。楼居城市，而揽湖山之胜，为临安都中裙屐歌舞最盛处。前五句写登楼之景。“东风”数句言频年欢宴，竟日沉酣，不意容易春光，相如渐老。转头处以劲笔一折，承上老去意，推进一层，言不仅伤春易逝，而夜雨剪灯，怀人更切，倘有画舸人来，其奈此清癯之态何！“飞红”二句写愁极幽邃之思。昔人评韩昌黎“赤手拔鲸牙”句，谓诗心深入九渊，此句颇似之。楼为登临繁盛地，而词笔凄清如是，梦窗其秋士多悲耶？

思佳客

迷蝶无踪晓梦沉。寒香深闭小庭心。欲知湖上春多少，但看楼前柳浅深。　愁自遣，酒孤斟。一帘芳景燕同吟。杏花宜带斜阳看，几阵东风晚又阴。

梦窗词喜雕镌字句，间有晦滞处；亦尽有不着气力而含情韵者，此类是也。首二句不过事矜炼，遂觉深婉有味。下阕“燕同吟”三字颇新。花映夕阳，最为妍妙之景，而东风不许，掩以暮阴，令人怅悒。芳景易失，犹华年易老，题为《思佳客》，其咏花而有人在耶？

三姝媚　过都城旧居有感

湖山经醉惯。渍春衫啼痕，酒痕无限。又客长安，叹断襟零袂，涴尘谁浣。紫曲门荒，沿败井、风摇青蔓。对语东邻，犹是曾巢，谢堂双燕。　春梦人间须断。但怪得当年，梦缘能短。绣屋秦筝，傍海棠偏爱，夜深开宴。舞歇歌沉，花未减、红颜先变。伫久河桥欲去，斜阳泪满。

梦窗曾久客临安，重过故居，感而赋此。“啼痕”“酒痕”句与“泪痕和酒。占了双罗袖”词意正同。酒与泪并，为频年悲欢交集之证，语殊恻怆。“长安”三句素衣化缁，有少陵“憔悴京华”之慨。“紫曲”句以下，重过旧居，如梁燕还巢，井废蔓荒，写一片萧寥之状。下阕言早知春梦难长，但梦何太促。以下“秦筝”“夜宴”等语，乃追写春梦方酣之事，今独立斜阳，河桥花影依然，而朱颜老去，历历前尘，安得不感时溅泪耶！

齐天乐

新烟初试花如梦，疑收楚峰残雨。茂苑人归，秦楼燕宿，同惜天涯为旅。游情最苦。早柔绿迷津，乱莎荒圃。数树梨花，晚风吹堕半汀鹭。　　流红江上去远，翠尊曾共醉，云外别墅。淡月秋千，幽香巷陌，愁结伤春深处。听歌看舞。驻不得当时，柳蛮樱素。睡起恹恹，洞箫谁院宇。

起二句写春暮风景，秀丽若奇花初胎。以燕喻客，寻常词意，用“茂苑”“秦楼”对偶语出之，顿不薄弱。“游情”句以下，“乱莎”“柔绿”，极状荒凉，正写出游情之苦。下阕皆言情。“秋千”“巷陌”即当日共醉翠樽之地，而“淡月”“幽香”，徒留想象，眼底之舞衫歌扇，已非昔之樊口蛮腰，况别院箫声，如怨如慕，益怅触伤春情绪矣。“愁结”句回应上文春暮之景，章法周密。

前调

烟波桃叶西陵路，十年断魂潮尾。古柳重攀，轻鸥聚别，陈迹危亭独倚。凉飔乍起。渺烟碛飞帆，暮山横翠。但有江花，共临秋镜照憔悴。　　华堂烛暗送客，眼波回盼处，芳艳流水。素骨凝冰，柔葱蘸雪，犹忆分瓜深意。清尊未洗。梦不湿行云，漫沾残泪。可惜秋宵，乱蛩疏雨里。

人当旧地重过，每生惆怅。况十年往事，潮上心头，古柳危亭，处处皆怀陈迹。以下若即咏怀人，便少回旋之地。“凉飔”五句从空际着笔，写临江风景，所谓情景两得也。下阕追忆别时，临歧千万语，只赢得青眸回盼。偶忆分瓜往事，细细写来，见余情之犹恋。后幅梦魂不到，清醑慵斟，但闻夜雨蛩声，洒一襟残泪耳。哀而不伤，自成雅调。

扫花游　送春古江村

水园沁碧，骤夜雨飘红，竟空林鸟。艳春过了。有尘香坠钿，尚遗芳草。步绕新阴，渐觉交枝径小。醉深窈。爱绿叶翠圆，胜看花好。　　芳架雪未扫。怪翠被佳人，困迷清晓。柳丝系棹。问阊门自古，送春多少。倦蝶慵飞，故扑簪花破帽。酹残照。掩重城、暮钟不到。

送春之句，稿中屡见。前六句写残春情景，工而不滞。“小”字韵咏新阴入细，“好”字韵有“绿阴幽草胜花时”之意。下阕意境开展，分三段写送春。晓窗慵起，言佳人之春倦；垂柳系舟，言春江之行客。而已则当此暮春，破帽簪花，孤踪寥落，惟有倦蝶相随，潦倒中有闲放之致。酹酒斜阳，乃结束全首，兼回应“醉深窈”句也。

浣溪沙

门隔花深梦旧游。夕阳无语燕归愁。玉纤香动小帘钩。
落絮无声春堕泪，行云有影月含羞。东风临夜冷于秋。

句法将纵还收，似沾非着，以蕴酿之思，运妍秀之笔，可平睨方回，揽裾小晏矣。结句尤凄韵悠然。

玉楼春　京市舞女

茸茸狸帽遮梅额。金蝉罗剪胡衫窄。乘肩争看小腰身，倦态强随闲鼓笛。　问称家住城东陌。欲买千金应不惜。归来困顿殢春眠，犹梦婆娑斜趁拍。

词纪京师灯市舞女之情状。南宋时，都城当岁暮，天街茶肆，已罗列灯球求售。三桥等处，客邸最盛，明灯初上，即有乘肩小女，鼓吹舞绾者数十队，纷然集于楼下。自此日盛一日，直至元宵以后。酒边一笑，所费殊不多。词中云“狸帽”“胡衫”“乘肩”“趁拍”，皆当时舞女状态，想见南都繁盛之一斑。后幅写舞女之堪怜，当鼓笛娱宾时，已难支倦困，归后梦犹趁拍，贫女之飘零身世，梦窗盖深悯之也。

点绛唇　试灯夜初晴

卷尽愁云，素娥临夜新梳洗。暗尘不起。酥润凌波地。
辇路重来，仿佛灯前事。情如水。小楼熏被。春梦笙歌里。

此词亦纪灯市之游。雨后月出，以素娥梳洗状之，语殊妍妙。下阕回首前游，辇路笙歌，犹闻梦里，今昔繁华之境，皆在梨云漠漠中，词境在空际描写。

祝英台近　春日客龟溪，游废园

采幽香，巡古苑，竹冷翠微路。斗草溪根，沙印小莲步。自怜两鬓清霜，一年寒食，又身在、云山深处。　昼闲度。因甚天也悭春，轻阴便成雨。绿暗长亭，归梦趁风絮。有情花影阑干，莺声门径，解留我、霎时凝伫。

以霜鬓词人，当禁烟芳序，在冷香荒圃间独自行吟，况莲步沙痕，曾是丽人游处，自有一种凄清之思。时值春阴酿雨，花影絮香，作片时留恋，于无情处生情，词客每有此遐想。“长亭”二句风度翛然。“花影”三句为废圃顿添情致，到底不懈。

朝中措　题阑室道女扇

楚皋相遇笑盈盈。江碧远山青。露重寒香有恨，月明秋佩无声。　银灯炙了，金炉炽暖，真色罗屏。病起十分清瘦，梦阑一寸春情。

五代词人多有赠女冠之作。梦窗稿中赠道女词凡四首。其《醉落魄·题藕花洲尼扇》有“偷掷金钱，重把寸心卜”句，《蝶恋花·题华山道女扇》有“莺羽衣轻，腰减青丝剩”及“十二阑干和笑凭”等句，此调有“一寸春情”句，殆当时黄绝入道者，有托而逃禅，虽梵贝香灯，而未能寂灭，否则春情闲恨，安能上静里眉痕而形诸词笔耶！词中“露重”“月明”二语殊隽，神光在离合之间，丽句而未乖贞则也。

极相思　题陈藏一水月梅扇

玉纤风透秋痕。凉与素怀分。乘鸾归后，生绡净剪，一片冰云。　心事孤山春梦在，到思量、犹断诗魂。水清月冷，香消影瘦，人立黄昏。

观词中“乘鸾归后”句，殆亦为道女题扇而作。“凉与素怀分”五字咏扇妙绝。“水清月冷”三句水月梅合写，格高而韵远，一洗南宋慢体之习。

忆旧游　别黄淡翁

送人犹未苦，苦送春、随人去天涯。片红都飞尽，阴阴润绿，暗里啼鸦。赋情顿雪双鬓，飞梦逐尘沙。叹病渴凄凉，分香瘦减，两地看花。　西湖断桥路，想系马垂杨，依旧欹斜。葵麦迷烟处，问离巢孤燕，飞过谁家。故人为写深怨，空壁扫秋蛇。但醉上吴台，残阳草色归思赊。

稿中赠友之词，凡题中用“饯”字者皆送友，此用“别”字，及末句言“吴台归思”，知此作为留别，非送行也。首三句伤春与伤别合写，“片红”三句赋送春，“赋情”二句言将别去，“病渴”三句居者与行者夹写而兼送春。下阕因远行而回忆西湖旧游，如离巢之孤燕，故人情重，为题壁写我深悲，他日吴台回望，益动归思矣。梦窗服膺片玉，此词开合顿挫处，颇似片玉也。

点绛唇

时霎清明，载花不过西园路。嫩阴绿树。正是春留处。

燕子重来，往事东流去。征衫贮。旧寒一缕。泪湿风帘絮。

旧感犹存而托诸旧寒犹贮，见词心之灵妙。结句与清真词之《瑞龙吟》结句“一帘风絮”情味同而风韵亦同。

蝶恋花　化度寺池莲一花最晚有感

湘水烟中相见早。罗盖低笼，红拂犹娇小。妆镜明星争晚照。西风日送凌波杳。　惆怅来迟羞窈窕。一霎留连，相伴阑干悄。今夜西池明月到。余香翠被空秋晓。

咏花而兼怀人，花与人合写。结句言闹红已过，只余翠盖田田，虽仍咏晚莲，而翠被秋寒，隐有人在，有手挥目送之妙。

采桑子慢　侍云麓先生登飞翼楼观云

东风未起，花上纤尘无影。峭云湿、凝酥深坞，乍洗梅清。钓卷愁丝，冷浮虹气海波明。若耶门闭，扁舟去懒，客思鸥轻。　几度问春，倡红冶翠，空媚阴晴。看真色、千岩一素，天淡无情。醒眼重开，玉钩帘外晓峰青。相扶轻醉，越王台上，更最高层。

夏闰庵云：先从未有云说到云起。“虹气”七字状云殊新警。“若耶”三句托思清迥。下阕“千岩一素”四字咏云能涵盖一切。“醒眼”一句又说到云散，于观云本题，十分写足。

前调　双清楼

空濛乍敛，波影帘花晴乱。正西子、梳妆楼上，镜舞青鸾。润逼风襟，满湖山色入阑干。天虚鸣籁，云多易雨，长带秋寒。　远望翠凹，隔江时见，越女低鬟。算堪羡、烟沙白鹭，暮往朝还。歌管重城，醉花春梦半香残。乘风邀月，持杯对影，云海人间。

起笔及“鸣籁”三句捶炼入细。下阕写临江风景，笔轻而意远。“歌管”二句，人海沉酣、辜负佳景者不知凡几，以“醉花春梦”讽之，雅人无浅语也。

满江红　淀山湖

云气楼台，分一派、沧浪翠蓬。开小景、玉盆寒浸，巧石盘松。风送流花时过岸，浪摇晴练欲飞空。算鲛宫、只隔一红尘，无路通。　神女驾，凌晓风。明月佩，响丁东。对两蛾犹锁，怨绿烟中。秋色未教飞尽雁，夕阳长是坠疏钟。又一声、欸乃过前岩，移钓篷。

前半铺序游湖景色。下阕“两蛾”二句谓洞庭东西二山。通首惟“怨绿”二字景中有情，句亦深秀。“疏钟”二句极有疏隽之味，是词句，非七律中句，且系宋人佳咏，非唐人风格。

古香慢　赋沧浪看桂

怨蛾坠柳，离佩摇荭，霜讯南浦。漫忆桥扉，倚竹袖寒日暮。还问月中游，梦飞过、金风翠羽。把残云剩水万顷，暗熏冷麝凄苦。　渐浩渺、凌山高处。秋淡无光，残照谁主。露粟侵肌，夜约羽林轻误。剪碎惜秋心，更肠断、珠尘藓路。怕重阳，又催近、满城风雨。

梦窗殁于理宗时，未及宋之末造，故集中感怀君国之思，与碧山、玉田、草窗异。但此词既非怀人，又非自感，而一片凄苦之音，将何所指？观其“剩水残云”“残照谁主”等句，殆感汴京往事耶？上阕“月中游”四句、下阕“秋心”二句用笔幽邃，情韵复哀而弥长，是梦窗擅胜处。

天香　蜡梅

蝉翼黏霜，蝇苞缀冻，生香远带风峭。岭上寒多，溪头月冷，北枝瘦、南枝小。玉奴有姊，先占立、墙阴春早。初试宫黄淡薄，偷分寿阳纤巧。　银烛泪深未晓。酒钟悭、贮愁多少。记得短亭归马，暮衙蜂闹。豆蔻钗梁恨袅。但怅望天涯岁华老。远信难封，吴云雁杳。

唐人咏蜡梅诗无多，每以对萼状之，词则绝无。此作起三句雕琢入细，“寿阳”“宫黄”句尚意所易到，“玉奴”二句更取喻妍巧，且风致夷犹。下阕“归马”“蜂衙”二句用“记得”二字，当是回忆从前，以蜡梅时无蜂也。“钗梁”二句即事怀人，且有凋年急景之感。

汉宫春　追和尹梅津赋俞园牡丹

花姥来时，带天香国艳，羞掩名姝。日长半娇半困，宿酒微苏。沉香槛北，比人间、风异烟殊。春恨重，盘云坠髻，碧花翻吐琼盂。　洛苑旧移仙谱，向吴娃深馆，曾奉君娱。猩唇露红未洗，客鬓霜铺。兰词沁壁，过西园、重载双壶。休漫道，花扶人醉，醉花却要人扶。

此为游园看花而作，故仅以“沉香”“洛苑”略点本题，非实赋牡丹也。“沉香”句运用入化。下阕“猩唇”四句绵丽有致，是梦窗本色。结末二句人花交咏，词必灵妙，且花要人扶，于牡丹尤肖。

甘州　姑苏台和施芸隐韵

步晴霞倒影，洗闲愁、深杯艳风漪。望越来清浅，吴歈杳霭，江雁初飞。辇路凌空九险，粉冷濯妆池。歌舞烟霄顶，乐景沉晖。　别是青红阑槛，对女墙山色，碧淡空眉。问当时游鹿，应笑古台非。有谁招、扁舟渔隐，但寄情、西子却题诗。闲风月，暗消磨尽，浪打鸥矶。

前半仅赋本题，其精湛处皆在下阕。转头三句笔意便超拔。其下游鹿台非，游湖人远，虽皆本地风光，在能手出之，有一种高朗之气。结句闲鸥风月，霸业消沉，尤为抚叹。

玉京谣

陈仲文自号藏一，盖取坡诗中“万人如海一身藏”语。为度夷则商犯无射宫腔，制此赠之。

蝶梦迷清晓，万里无家，岁晚貂裘敝。载取琴书，长安闲看桃李。烂锦绣、人海花场，任客燕、飘零谁计。春风里。香泥九陌，文梁孤垒。　微吟怕有诗声翳。镜慵看、但小楼独倚。金屋千娇，从他鸳暖秋被。蕙帐移、烟雨孤山，待对影、落梅清泚。终不似。江上翠微流水。

题旨重在藏身，若以“斯人独憔悴”之意实赋其事，便落恒蹊。观其“锦绣”三句以“客燕”为喻，遂句意并列而有“飘零谁计”句，则其栖栖不得已之怀，自在言外。结句有高远之致。

三姝媚

吹笙池上道。为王孙重来，旋生芳草。水石清寒，过半春犹自，燕沉莺悄。稚柳阑干，晴荡漾、禁烟残照。往事依然，争忍重听，怨红凄调。　曲榭方亭初扫。印藓迹双鸳，记穿林窈。顿隔年华，似梦回花上，露晞平晓。恨逐孤鸿，客又去、清明还到。便鞚墙头归骑，青梅已老。

上阕叙明重来怀旧。转头处接写所怀之人。“年华”三句感流光容易，语殊俊逸。“孤鸿”二句申明重来之意。结句申明年华易逝之意，而风致倜傥，是其制胜处。

夜合花　自鹤江入京，泊葑门外有感

柳暝河桥，莺晴台苑，短策频惹春香。当时夜泊，温柔便入深乡。词韵窄，酒杯长。剪蜡花、壶箭催忙。共追游处，凌波翠陌，连棹横塘。　十年一梦凄凉。似西湖燕去，吴馆巢荒。重来万感，依前唤酒银缸。溪雨急，岸花狂。趁残鸦、飞过苍茫。故人楼上，凭谁指与，芳草斜阳。

上阕平序往事。转头以下始写感怀。“溪雨”三句写景真而句复警动。“故人”三句“芳草斜阳”，一片苍凉之感。惜故人不见，谁与诉愁！客子之幽怀，亦词家之妙笔也。

绕佛阁　与沈野逸东皋天街卢楼追凉小饮

夜空似水，横汉静立，银浪声杳。瑶镜奁小。素娥乍起楼心弄孤照。絮云未巧。梧韵露井，偏惜秋早。晴暗多少。怕教彻胆蟾光见怀抱。　浪迹尚为客，恨满长安千古道。还记暗萤穿帘街语悄。叹步影归来，人鬓花老。紫箫天渺。又露饮风前，凉堕轻帽。酒杯空、数星横晓。

上阕“晴暗”三句笔意深透。下阕“街语”以下六句，戈顺卿谓梦窗“炼字炼句，……而实有灵气行乎其间”。此词下半阕颇有此境，结句尤有远神。

珍珠帘

春日客龟溪，过贵人家，隔墙闻箫鼓声，疑是按舞，伫立久之。

蜜沉炉暖余烟袅。层帘卷、伫立行人官道。麟带压愁香，听舞箫云渺。恨缕情丝春絮远，怅梦隔、银屏难到。寒峭。有东风垂柳，学得腰小。　还近绿水清明，叹孤身如燕，将花频绕。细雨湿黄昏，半醉归怀抱。蠹损歌纨人去久，漫泪沾、香兰如笑。书杳。念客枕幽单，看春渐老。

词为闻隔墙箫鼓声，疑是按舞而作。题本虚拟，无迹可寻。通首以“到”字、“绕”字二韵，托思最为灵妙。而闻声之遐想，犹飞燕之绕花，取喻尤巧。接以“细雨”二语，神味弥永。

木兰花慢

陪仓幕游虎邱。时魏益斋已被亲擢，陈芬窟、李芳庵皆将满秩。

紫骝嘶冻草，晓云锁，岫眉颦。正蕙雪初消，松腰玉瘦，憔悴真真。轻藜渐穿险磴，步荒苔、犹认瘗花痕。千古兴亡旧恨，半邱残日孤云。　开尊重吊吴魂。岚翠冷，洗微醺。问几曾夜宿，月明起看，剑水星纹。登临总成去客，更软红、先有探芳人。回首沧波故苑，落梅烟雨黄昏。

“轻藜”二句赋山景极幽峭。下阕登临欲去，已近收笔，乃承以“软红探芳”句，似花明柳暗又见一村。作此顿挫，而结句“回首沧波故苑”仍归到本题。梦窗学清真，此等处颇似之。

水龙吟　惠山酌泉

艳阳不到青山，古阴冷翠成秋苑。吴娃点黛，江妃拥髻，空濛遮断。树密藏溪，草深迷市，峭云一片。二十年旧梦，轻鸥素约，霜丝乱，朱颜变。　龙吻春霏玉溅。煮银瓶、羊肠车转。临泉照影，清寒沁骨，客尘都浣。鸿渐重来，夜深华表，露零鹤怨。把闲愁换与，楼前晚色，棹沧波远。

发端二句笔妍而意邃。“吴娃”至“峭云”句，质言之，不过山被云遮耳。而先以吴娃、江妃为喻，更写以草树风景，咏云便有深厚之味。转头处咏烹茶。“龙吻”二句研炼而生峭。“华表”二句写重来之感。旋换开拓之笔，以闲淡作结，通首无一懈句。

宴清都 连理海棠

绣幄鸳鸯住。红情密、腻云低护秦树。芳根兼倚，花梢钿合，锦屏人妒。东风睡足交枝，正梦枕、瑶钗燕股。障滟蜡、满照欢丛，嫠蟾冷落羞度。　人间万感幽单，华清惯浴，春盎风露。连鬟并暖，同心共结，向承恩处。凭谁为歌长恨，暗殿锁、秋灯夜语。叙旧期、不负春盟，红朝翠暮。

自“绣幄”至“燕股”数语赋连理，思密而藻丽。“锦屏”“梦枕”二句尤摇漾生情。下阕别开一径，写宫怨而以美满作结，为连理海棠生色。梦窗晚年好填词，以秾丽为妍，此作用字炼句，迥不犹人，可称雅制。

花犯　谢黄复庵除夜寄古梅枝

剪横枝，清溪分影，翛然镜空晓。小窗春到。怜夜冷孀娥，相伴孤照。古苔泪锁霜千点，苍华人共老。料浅雪、黄昏驿路，飞香遗冻草。　行云梦中认琼娘，冰肌瘦窈窕、风前纤缟。残醉醒，屏山外，翠禽声小。寒泉贮、绀壶渐暖，年事对、青灯惊换了。但恐舞、一帘胡蝶，玉龙吹又杳。

“苍华”及“青灯”句当除夕咏梅，雅切而有情致。“冻草”句兼及送梅。通首丽而有则，是其长处。

瑞鹤仙　丙午重九

乱云生古峤。记旧游、惟怕秋光不早。人生断肠草。叹如今摇落，暗惊怀抱。谁临晚眺。吹台高、霜歌缥缈。想西风、此处留情，肯着故人衰帽。　闻道。萸香西市，酒熟东邻，浣花人老。金鞭騕褭。追吟赋，倩年少。想重来新雁，伤心湖上，消减红深翠窈。小楼寒、睡起无聊，半帘晚照。

自上阕至“年少”句，笔意清老。其动目处，在后半“新雁”以下五句，神态夷犹，音殊恻怆，与“带黄花人在小楼”之结句，同深感叹。

澡兰香 淮安重午

盘丝系腕，巧篆垂簪，玉隐绀纱睡觉。银瓶露井，彩箑云窗，往事少年依约。为当时、曾写榴裙，伤心红绡褪萼。黍梦光阴，渐老汀洲烟蒻。　莫唱江南古调，怨抑难招，楚江沉魄。熏风燕乳，暗雨梅黄，午镜澡兰帘幕。念秦楼、也拟人归，应剪菖蒲自酌。但怅望、一缕新蟾，随人天角。

梦窗喜藻饰字句，本意易晦。此词与前首皆佳节有怀，而此则兼有人在，故上阕“榴裙”四句、下阕“秦楼”四句情辞尤为宛转。读梦窗词者，当在其缛丽而流利处求之。

西河 陪鹤林登袁园

春乍霁。清涟画舫融泄。螺云万叠黯凝愁，黛蛾照水。漫将西子比西湖，溪边人更多丽。　步危径，攀艳蕊。掬霞到手红碎。青蛇细折小回廊，去天半咫。画阑日暮起东风，棋声吹下人世。　海棠藉雨半绣地。正残寒、初御罗绮。除酒消春何计。向沙头更续、斜阳一醉。双玉杯和流花洗。

佳处在第三段，写寻常春游，花前一醉，入作者之手，其词华而峭，绝无甜熟之笔。

解连环　留别姜石帚

思和云结。断江楼望睫，雁飞无极。正岸柳、衰不堪攀，忍持赠故人，送秋行色。岁晚来时，暗香乱、石桥南北。又长亭暮雪，点点泪痕，总成相忆。　杯前寸阴似掷。几酬花唱月，连夜浮白。省听风、听雨笙箫，向别枕倦醒，絮飏空碧。片叶愁红，趁一舸、西风潮汐。叹沧波、路长梦短，甚时到得。

梦窗与石帚交谊甚挚，故赋词赠别。下阕“听风、听雨”二句，语固锤炼；而寄情深厚，尤在“片叶”四句，一片离心，逐秋潮共去。且路长梦短，有沈休文“梦中不识路，何以慰相思”之意。

惜黄华慢

次吴江小泊，夜饮僧窗惜别，邦人赵簿携小妓侑尊，连歌数阕，皆清真词。酒尽，已四鼓，赋此词饯尹梅津。

送客吴皋。正试霜夜冷，枫落长桥。望天不尽，背城渐杳，离亭黯黯，恨水迢迢。翠香零落红衣老，暮愁锁、残柳眉梢。念瘦腰。沈郎旧日，曾系兰桡。　仙人凤咽琼箫。怅断魂送远，九辩难招。醉鬟留盼，小窗剪烛，歌云载恨，飞上银霄。素秋不解随船去，败红趁、一叶寒涛。梦翠翘。怨鸿料过南谯。

前段“翠香零落”五句、后段“素秋”二句，词秀而情长，余韵复摇漾生姿。有此佳词，可如白石之过吴江，付小红低唱矣。

选冠子　芙蓉

藻国凄迷，曲尘澄映，怨入粉烟蓝雾。香笼麝水，腻涨红波，一镜万妆争妒。湘女归魂佩环，玉冷无声，凝情谁愬。又江空月堕，凌波尘起，采鸳愁舞。　还暗忆、钿合兰桡，丝牵琼腕，见的更怜心苦。玲珑翠幄，轻薄冰绡，稳称锦云留住。生怕哀蝉暗惊，秋被红衰，啼珠零露。奈西风老尽，羞趁东风嫁与。

梦窗与清真、白石、梅溪，并为一代词宗，而稍变其面目。此作上阕自“香笼”句以下，后阕自“翠幄”句以下，咏芙蓉正喻夹写，陆离弥目，而有性情寓乎其中。“万妆争妒”句及结处尤为生色。

霜叶飞　重九

断烟离绪关心事，斜阳红隐霜树。半壶秋水荐黄花，香噀西风雨。纵玉勒、轻飞迅羽。凄凉谁吊荒台古。记醉踏南屏，彩扇咽、寒蝉倦梦，不知蛮素。　聊对旧节传杯，尘笺蠹管，断阕经岁慵赋。小蟾斜影转东篱，夜冷残蛩语。早白发、缘愁万缕。惊飙从卷乌纱去。漫细将、茱萸看，但约明年，翠微高处。

起笔“离绪”句与下之“彩扇”“蛮素”相应，因重九而怀人也。下阕自述，结处兴复不浅。论其词句之工，则“半壶秋水”及“蟾影东篱”不过言采菊耳；而辞句秀逸，且有韵致。“白发”“乌纱”二句不过用落帽事耳；而寄慨无尽。上阕“玉勒”二句更作动荡之笔，此篇洵经意之作。

六丑　壬寅岁吴门元夕风雨

渐新鹅映柳，茂苑锁、东风初掣。馆娃旧游，罗襦香未灭。玉夜花节。记向流连处，看街临晚，放小帘低揭。星河瀲滟春云热。笑靥欹梅，仙衣舞缬。澄澄素娥宫阙。醉西楼十二，铜漏催彻。　红消翠歇。叹霜簪练发。过眼年光，旧情尽别。泥深厌听啼鴂。恨愁霏润沁，陌头尘袜。青鸾杳、钿车音绝。却因甚、不把欢期，付与少年华月。残梅瘦、飞趁风雪。向夜永、更说长安梦，灯花正结。

戈载谓梦窗词“以绵丽为尚，……而实有灵气行乎其间。……亦不见其堆垛。”此作“星河”以下六句，颇合其语。下阕“青鸾”三句写元夕风雨，措语新隽。结处回首长安，余情不尽，如织七襄云锦，绮丽中有回曲之致。

莺啼序　荷　和赵修全韵

横塘棹穿艳锦，引鸳鸯弄水。断霞晚、笑折花归，绀纱低护灯蕊。润玉瘦、冰轻倦浴，斜拕凤股盘云坠。听银床声细。梧桐渐搅凉思。　窗隙流光，冉冉迅羽，诉空梁燕子。误惊起、风竹敲门，故人还又不至。记琅玕、新诗细掐，早陈迹、香痕纤指。怕因循，罗扇恩疏，又生秋意。　西湖旧日，画舸频移，叹几萦梦寐。霞佩冷、叠澜不定，麝霭飞雨，乍湿鲛绡，暗盛红泪。綀单夜共，波心宿处，琼箫吹月霓裳舞，向明朝、未觉花容悴。嫣香易落，回头淡碧消烟，镜空画罗屏里。　残蝉度曲，唱彻西园，也感红怨翠。念省惯、吴宫幽憩。暗柳追凉，晓岸参斜，露零沤起。丝萦寸藕，留连欢事。桃笙平展湘浪影，有昭华、秾李冰相倚。如今鬓点凄霜，半箧秋词，恨盈蠹纸。

题虽咏荷，因和友韵，非专赏荷花，故叙事多而咏花少。首段言折花而归。次段怀人。三段忆西湖旧游。四段咏荷而兼感怀。全篇二百数十字，其精撰处在三段“鲛绡”以下数语、四段“残蝉”以下数语及歇拍三句，藻采组织，而神韵流转，旨趣弥永，如玉溪生之诗，非专恃獭祭也。

施枢 一首

摸鱼儿 琼花

柳蒙茸、暗凌波路。烟飞惨淡平楚。香车深驻猊环掩，遥认翠华云母。芳景暮。鸳甃悄、铢衣来按飞琼舞。凄凉洛浦。渐玉漏沉沉，清阴满地，乘月步虚去。　销凝处。谁说三生小杜。翔螭声断箫鼓。情知禁苑酥尘涴，羞与倡红同谱。春几度。想依旧、苔痕长印唐昌土。风流千古。人在小红楼，朱帘半卷，香注玉壶露。

起笔数语当是因游琼花观而作。惟“飞琼”“唐昌”句实赋“琼花”“乘月步虚”及“禁苑”句有吊古之思，“羞与倡红”,兼有身世之感。结句“人在红楼”，小杜曾游，不无余恋。“香注玉壶”，仍映带“琼花”。

储泳　一首

齐天乐

东风一夜吹寒食，红片枝头犹恋。宿酒初醒，新吟未稳，凭久阑干留暖。将春买断。恨苔径榆阶，翠钱难贯。陌上秋千，相逢难认旧时伴。　轻衫粉痕褪了，丝缘余梦在，良宵偏短。柳线穿烟，莺梭织雾，一片旧愁新怨。慵拈象管。待寄与深情，怎凭双燕。不似杨花，解随人去远。

当春怀旧，语语情景合写，不使一平易之笔。上阕“买春”三句及“杨花”结句皆有思致。

李彭老 五首

木兰花慢

正千门系柳，赐宫烛、散青烟。看秀靥芳唇，涂妆晕色，试尽春妍。田田。满阶榆荚，弄轻阴、浅冷似秋天。随处饧香杏暖，燕飞斜弹秋千。　朱弦。几换华年。扶浅醉、落红前。记旧时游冶，灯楼倚扇，水院移船。吟边。梦云飞远，有题红、都在薛涛笺。听绝残箫倦笛，夜堂明月窥帘。

上阕纯写暮春风物，而中着“秀靥”“春妍”三句，景中有情，则柳烟杏雨，在春光骀荡中，有靓妆人在也。下阕回首前游，灯楼水院，在想象之中，则情中之景，都化烟云。“吟边”“题红”二句回应转头处，言芳时已换，剩有酒边残句，向夜月帘栊低徊独咏耳。

法曲献仙音　官圃赋梅，继草窗韵

云木槎枒，水荇摇落，瘦影半临清浅。翠羽迷空，粉容羞晓，年华柱弦暗换。甚何逊，风流在，相逢共寒晚。　总依黯。念当时、看花游冶，曾锦缆移舟，宝筝随辇。池苑锁荒凉，嗟事逐、鸿飞天远。香径无人，甚苍藓、黄尘自满。听鸦啼春寂，暗雨萧萧吹怨。

起二句旁衬笔写萧寥之景，“瘦影”三句赋梅，即承以“年华柱弦”句，殊有今昔之感，故转头处即回忆当日看花。原题云“官圃赋梅，继草窗韵”，证以“锦缆”“池苑”等句，则此词当是经故宫而作，与草窗过西湖离宫“一片斜阳恋柳”之词，同一感想。“苍藓黄尘”，古今同慨，宁独赵家宫苑耶？

高阳台　寄题苏壁山房

石笋埋云，风篁啸晚，翠微高处幽居。缥缈云签，人间一点尘无。绿深门户啼鹃外，看堆床、宝晋图书。尽萧闲、浴砚临池，滴露研朱。　旧时曾写桃花扇，弄霏香秀笔，春满西湖。松菊依然，紫桑自爱吾庐。冰弦玉麈风流在，更秋兰、香染衣裾。照窗明、小字珠玑，重见欧虞。

词因寄金应桂荪壁山房而作。图史连麈，云山四面，得作者雅洁之笔状之，弥见其人之高蠲。《佩楚轩客谈》云：“金应桂……居西湖南山中，筑荪壁山房，左弦右壶，中设图史，客至抚摩，共赏谛玩，清谈缅缅，每肩舆入城府，幅巾氅衣，望之若神仙然。”但《佩楚轩客谈》仅言琴酒图书，而词中则云桃花写扇，字仿欧虞，可知其书画兼擅也。

祝英台近

杏花初，梅花过，时节又春半。帘影飞梭，轻阴小庭院。旧时月底秋千，吟香醉玉，曾细听、歌珠一串。　忍重见。描金小字题情，生绡合欢扇。老了刘郎，天远玉箫伴。几番莺外斜阳，阑干倚遍，恨杨柳、遮愁不断。

写景言情，抚今追昔，循序写来，自是合作。结处“莺外斜阳”三句，含思绵渺，群称警句。

摸鱼儿　莼

过垂虹、四桥飞雨，沙痕初涨春水。柔波十里吴歈远，绿蔓半萦船尾。连复碎。爱滑卷青绡，香袅冰丝细。山人隽味。笑杜老无情，香羹碧涧，空只赋芹美。　归期早，谁似季鹰高致。鲈鱼相伴菰米。红尘如海邱园梦，一叶又秋风起。湘湖外。看采撷、芳条际晓随鱼市。旧游漫记。但望里江南，秦鬟贺镜，渺渺隔烟水。

起笔从水乡引起采莼，有闲逸之致。“绿蔓”四句咏物工细，旋用香芹碧涧羹诗意作衬，以开宕局势。下阕用季鹰事，虽意所易到，而接以“红尘如海”二句，意境便超。“际晓随鱼市”句涉想殊妙。结处“秦鬟贺镜”,殆谓秦封山及贺监湖，觉炼字过于生硬。此词见《乐府补题》，《词综》所载，则“柔波”作“腥波”，“烟水”作“烟翠”，与此略异。

李演　一首

声声慢

轻鞯绣谷。柔屐烟堤，六年遗赏新续。小舫重来，惟有寒沙鸥熟。徘徊旧情易冷，但溶溶、翠波如縠。愁望远，甚云消月老，暮山自绿。　　鞷笑人生悲乐，且听我樽前，渔歌樵曲。旧阁尘封，长得树阴如屋。凄凉五桥归路，载寒秀、一枝疏玉。翠袖薄，晚无言、空倚修竹。

此虽纪游之作，而感旧低回，情景依黯。词未标题，观其“五桥归路”句，当是在西湖之西畔。樊榭笺《绝妙好词》，于此词后，引《遂昌杂录》历叙孤山西麓宫观亭台之盛，即李秋堂所游之处。宋词中游湖者，皆言六桥，此词则言五桥，其《盟鸥集》中《祝英台近》词又有“五桥流水”句，他人所未道也。

黄昇　三首

酹江月　戏题玉林

玉林何有，有一湾莲沼、数间茅宇。断堑疏篱聊补葺，那得粉墙朱户。禾黍秋风，鸡豚晓日，活脱田家趣。客来茶罢，自挑野菜同煮。　多少甲第连云，十眉环座，人醉黄金坞。回首邯郸春梦破，零落珠歌翠舞。得似衰翁，萧然陋巷，长作溪山主。紫芝可采，更寻岩谷深处。

叔旸所居，有水木之胜，题曰“玉林”，因以自号，又号花庵词客。曾选唐宋词十卷，为《绝妙词选》，附载已作三十八调于后。游受斋评其词若“晴空冰柱”。此词天怀高洁，颇称受斋评语。

前调　夜凉

西风解事，为人间、洗尽三庚烦暑。一枕新凉宜客梦，飞入藕花深处。冰雪襟怀，琉璃世界，夜景清如许。划然长啸，起来秋满庭户。　应笑楚客才高，兰成愁悴，遗恨传千古。作赋吟诗空自好，不直一杯秋露。淡月阑干，微云河汉，耿耿天催曙。此情谁会，梧桐叶上疏雨。

上阕“梦入藕花”句有清新之思，“冰雪”二句见其雅怀，“长啸”句见其逸气。下阕言哀郢怀湘，非特遗恨难偿，即词赋才名，亦不直一杯秋露，寄慨殊深。结句言会此微旨者，世鲜知音，知者惟梧桐疏雨，其超旷如是，宜楼秋房以“泉石清士”目之。

鹊桥仙　春情

青林雨歇，珠帘风细，人在绿阴庭院。夜来能有几多寒，已瘦了、梨花一半。　宝钗无据，玉琴难托，合造一襟幽怨。云窗雾阁事茫茫，试与问、杏梁双燕。

“梨花”句不着边际，而自有人同花瘦之意。下阕谓据本难言，心尤难托，况借钗琴寓意，则据托弥难。故结句言虽窗阁分明在眼，而等于云雾茫茫，如此幽怨襟怀，双燕梁间，或可知其仿佛。以幽渺之词寓缠绵之意，乃善赋闲情者。

何梦桂 二首

摸鱼儿

记年时、人人何处，长亭曾共杯酒。酒阑归去行人远，折不尽长亭柳。渐白首。待把酒送君，恰又清明后。青条似旧。问江北江南，离愁如我，还更有人否。　留不住，强把蔬盘瀹韭。行舟又报潮候。风急岸花飞尽也，一曲啼红满袖。春波皱。青草外、人间此恨年年有。留连握手。数人世相逢，百年欢笑，能得几回又。

离亭送友，前后一气挥写，笔健而辞婉，音凄而意达，情文相生，结处更有余慨。梦桂著有《潜斋词》一卷。淳安朝曾登上第。

喜迁莺

留春不住。又早是清明，杨花飞絮。杜宇声声，黄昏庭院，那更半帘风雨。劝春且休归去。芳草天涯无路。悄无语。待阑干立尽，落红无数。　谁诉。长门事，记得当年，曾趁梨园舞。霓羽香消，梁州声歇，昨梦转头今古。金屋玉楼何在，尚有花钿尘土。君不顾。怕伤心，休上危楼高处。

上阕“劝春”三句借送春以寓四方靡骋之感。以下回首先朝，宫掖则消沉霓羽，故家则零落花钿。岩叟入元后，累征不起，盖积感之民，故词多凄调。

王月山　一首

台城路　初秋

夜来疏雨鸣金井，一叶舞风红浅。莲渚生香，兰皋浮爽，凉思顿欺班扇。秋光冉冉。任老却芦花，西风不管。清兴难磨，几回有句到诗卷。　长安故人别后，料征鸿声里，画阑凭遍。横竹吹商，疏砧点月，好梦又随云远。闲情似线，共系损柔肠，不堪裁翦。听着寒蛩，一声声是怨。

起笔用“红浅”及“顿欺”字，即切定“初秋”。乃秋声甫动，已预愁秋老，感流光之过隙，洵秋士之善怀。以下纯是怀人，情深一往，蛩语砧声，仍不脱秋意。

刘辰翁　二首

宝鼎现　丁酉元夕

红妆春骑，踏月花影，千旗穿市。望不尽、琼楼歌舞，习习香尘莲步底。箫声断、约采鸾归去，未怕金吾呵醉。甚辇路、喧阗且止。听得念奴歌起。　父老犹记宣和事。抱铜仙、清泪如水。还转盼、沙河多丽，滉漾明光连邸第。帘影动、散红光成绮。月浸蒲桃十里。看往来，神仙才子，肯把菱花扑碎。　肠断竹马儿童，空见说、三千乐指。等多时、春不归来，到春时欲睡。又说向、灯前拥髻。暗滴鲛珠坠。便当日、亲见霓裳，天上人间梦里。

刘在宋末隐遁不仕，此为感旧之作。上段先述元夕之盛，中段从父老眼中曾见宣和往事，朱邸豪华，铜街士女，只赢得铜仙对泣，已极伤怀。下阕言大好春色而畏逢春色，有怀莫诉，归向绿窗人灯前掩泪，尤为凄黯。余早岁曾见东华灯市火树银花之盛，五十年来桑海迁流，亦若刘须溪之“梦里霓裳”矣。

兰陵王　丙子送春

送春去。春去人间无路。秋千外、芳草连天，谁遣风沙暗南浦。依依甚意绪。漫忆海门飞絮。乱鸦过、斗转城荒，不见来时试灯处。　春去。最谁苦。但箭雁沉边，梁燕无主。杜鹃声里长门暮。想玉树凋土，泪盘零露。咸阳送客屡回顾。斜日未能渡。　春去。尚来否。正江令恨别，庾信愁赋。苏堤尽日风和雨。叹神游故国，花记前度。人生流落，顾孺子，共夜语。

虽以“送春”标题，每段首句皆以“春去”作起笔，而其下则鸦过荒城，风沙迷目，不仅灯火阑珊之感。次段“杜鹃”句以下，长门日暮，悲玉树之凋残；后段“苏堤”句以下，故国神游，忆花枝于前度，其思乡恋阙，抚事怀人，百愁并集，不独“送春”也。清真倚此调，其次段、后段，皆在中权笔有顿挫。此作亦在中枢以“杜鹃”“苏堤”句作换转之笔，乃句意并到之作。

周密　三十二首

夷则商国香慢　赋子固凌波图

玉润金明。记曲屏小几，剪叶移根。经年泛人重见，瘦影娉婷。雨带风襟零落，步云冷、鹅管吹春。相逢旧京洛，素靥尘缁，仙掌霜凝。　国香流落恨，正冰消翠薄，谁念遗簪。水空天远，应念矾弟梅兄。渺渺鱼波望极，五十弦、愁满湘云。凄凉耿无语，梦入东风，雪尽江清。

子固为宋之宗室，入元后隐遁，以一舟载琴书，泊蓼滩苇岸，夕阳晓月，徜徉其间。其弟子昂访之，每拒不见，想其品节之高。则知草窗此词，皆有寓意也。起五句细切本题。“雨带”句已叹其零落。“素靥”“仙掌”二句一悲其蒙难，一回念故宫，以正喻夹写之。下阕首句喻其沦落江湖。次二句以遗簪比遗民。“愁满湘云”句抚一曲《水仙》而怀帝子，仍意兼正喻。结拍三句东风入梦，一片空明，词境之高，亦画与人品之洁也。《珊瑚网》云：“赵孟坚《水墨双钩水仙卷》自跋云：‘观者求于形似之外可尔。’彝斋弁阳老人周密题《夷则国香慢》云云。”知此画乃子固惬心之作。草窗尝泊舟严陵滩，见新月出水，大笑云：“此……乃我《水仙》出现也。”其爱重凌波画卷如此。

醉落魄　拟参晦

忆忆忆忆。宫罗褶褶销金色。吹花有尽情无极。泪滴空帘，香润柳枝湿。　春愁浩荡湘波窄。红兰梦绕江南北。燕莺都是东风客。移尽庭阴，风老杏花白。

各家词中，间有拟古之作，草窗独多，作《效颦十解》，各极其致。赵瓯北赠袁随园诗云：“古今只此笔数枝，怪哉公以一手持。”草窗其手持数笔乎？此调叠用“忆”字起笔，则前半皆忆旧之情。转头处领以“春愁”二字，则后半皆写愁之笔。“波窄”二句颇新警，因波窄而愁宽，故大江南北，不能限梦之往来也。

四字令 拟《花间》

眉消睡黄。春凝泪妆。玉屏水暖微香。听蜂儿打窗。
筝尘半床。绡痕半方。愁心欲诉垂杨。奈飞红正忙。

蜂儿打窗与春色恼人、莺啼惊梦，皆在幽静境中搅乱愁人心绪。下阕写愁，用两半字，便觉含情无限。“垂杨”二句飘零风雨，自顾不遑，何暇听人之低鬟诉怨耶！此词神似《花间》。

西江月 延祥观拒霜 拟稼轩

绿绮紫丝步障，红鸾彩凤仙城。谁将三十六陂春。换得两堤秋锦。　眼缬醉迷朱碧，笔花俊赏丹青。斜阳展尽赵昌屏。羞死舞鸾妆镜。

此咏延祥观拒霜花而作。凡花开极盛时，身在花间，若霞蔚云蒸，照眼生缬，此词足状拒霜花烂漫之观，字句亦镂金错采。四圣延祥观在西湖孤山路，有韦太后所奉沉香四圣象，备花木亭台之胜，三朝皆临幸之。

江城子　拟蒲江

罗窗晓色透花明。艳瑶笙。按瑶筝。试讯东风，能有几分春。二十四阑凭玉暖，杨柳月，海棠阴。　依依愁翠沁双颦。爱莺声。怕鹃声。人自多情。春去自无情。把酒问花花不语，花外梦，梦中云。

少年游　宫词　拟梅溪

帘消宝篆卷宫罗。蜂蝶扑飞梭。一样东风，燕梁莺院，那处春多。　晓妆日日随春辇，多在牡丹坡。花深深处，柳阴阴处，一片笙歌。

莺歌燕舞，春属谁边？犹之水殿云房，月明何处？离宫三十六，知羊车望幸之难。此拟宫词而作。结末三句乐醉钧天，身浮香海，极写声色繁华之境。题云《拟梅溪》，恐梅溪有此丽笔，或逊其浑成也。

好事近　拟东泽

新雨洗花尘，扑扑小庭香湿。早是垂杨烟老，渐嫩黄成碧。　晚帘都卷看青山，山外更山色。一色梨花新月，伴夜窗吹笛。

暮春雨后看山，叠翠层青，鲜明照眼，追送夕阳、迎素月，一声长笛，散入东风，是何等萧闲襟抱！草窗《效颦十解》，多窈窕之怀，此独具疏散之致，诵之洒然意远。

西江月　拟花翁

情缕红丝冉冉，啼花碧袖荧荧。迷香双蝶下庭心。一桁愔愔帘影。　北里红红短梦，东风燕燕前尘。称消不过牡丹情。中半伤春酒病。

垂帘静昼中有绾丝啼袖之人，芳序蹉跎，都半在伤春病酒中，其情怀可想。“红红”“燕燕”二句感尺波之电谢，其为美人嗟迟暮耶？亦词客自伤耳。

朝中措　茉莉　拟梦窗

彩绳朱乘驾涛云。亲见许飞琼。多定梅魂才返，香瘢半掐秋痕。　枕函钗缕，熏篝芳焙，儿女心情。尚有第三花在，不妨留待凉生。

咏茉莉花以雅切为主，昔人诗如“香从清梦回时觉，花向美人头上开”“清泉浸后香恒满，细缕穿成蕊半开”及“谢娘头上过东风”，皆称佳句。此词咏花，前半从虚拟着想，后半乃征实，密攒插鬓，细焙添香，女儿妙用，不负此花。结句不说尽，自饶余味。“枕函”三句在咏茉莉者亦擅场之作。

醉落魄　拟二隐

余寒正怯。金钗影卸东风揭。舞衣丝损愁千褶。一缕杨丝，犹是去年折。　临窗拥髻愁难说。花庭一寸燕支雪。春花似旧心情别。待摘玫瑰，飞下粉黄蝶。

当翠袖惊寒之际，衣褶损愁，金钗卸影，回首去年，正柳枝赠别之时，乃情景合写。下阕“一寸燕支雪”五字惜花兼写春深，语殊工妙。有东坡《寒食》诗“春去不容惜，泥污燕支雪”诗意。观其“杨丝”及“春花”二句，知通首皆伤离感旧之词。

浣溪沙　拟梅川

蚕已三眠柳二眠。双竿初起画秋千。莺栊风响十三弦。
鱼素不传新信息，鸾胶难续旧姻缘。薄情明月几番圆。

前半赋春景，有姚冶翩嬛之态。后半写离思，抚今则尺素稀逢，追昔则冰弦莫续，窗前圆月，何日倚帷双照，如杜陵诗之干我泪痕耶？

一萼红　登蓬莱阁有感

步深幽。正云黄天淡，雪意未全休。鉴曲寒沙，茂林烟草，俯仰今古悠悠。岁华晚、飘零渐远，谁念我、同载五湖舟。磴古松斜，崖阴苔老。一片清愁。　回首天涯归梦，几魂飞西浦，泪洒东州。故国山川，故园心眼，还似王粲登楼。最负他、秦鬟妆镜，好江山、何事此时游。为唤狂吟老监，共赋消忧。

蓬莱阁在绍兴郡治，取元微之“谪居犹得住蓬莱”诗句以名楼。秦少游诗：“路隔西陵三两水，门临南镇一千峰。”名卿佳士往游者，每有题咏。此词首五句写楼中所见之景，以“俯仰今古”句总领前半首。“飘零”“岁晚”,抚今之意也；“松斜”“苔老”,怀古之意也。以“故国”“故园”句总领后半首。东州、西浦，皆在阁之左近。草窗济南人，其“归梦天涯”句，故园之思也；大好江山而倦客登临，已在社屋阴沉之后，故国之思也。“山川”“心眼”二句非但句法高浑，且含无限悲凉。结句以楼近鉴湖，故忆及“狂吟老监”，乃本地风光。“消忧”句用《登楼赋》“聊假日以消忧”句，回顾上文“王粲”句也。

扫花游　九日怀归

江蓠怨碧，早过了霜花，锦空洲渚。孤蛩自语。正长安乱叶，万家砧杵。尘染秋衣，谁念西风倦旅。恨无据。怅望极归舟，天际烟树。　　心事曾细数。怕水叶沉红，梦云离去。情丝恨缕。倩回文为织，那时愁句。雁字无多，写得相思几许。暗凝伫。近重阳、满城风雨。

起三句赋秋色，已含有凄然思归之意。“孤蛩”句借蛩以自况，以下皆自述也。“长安”七句写深秋物态，气象开展，即承以“秋衣”“归舟”五句，章法开合，便耐揽撷。下阕皆写怀，无限心头往事，恐旧梦如云，随波流去。“情丝织愁”数句，申足上文之“心事细数”,言有无穷积感。而传写更无“雁字”，极表其寂寥谁语之怀。结句归到九日本题。且风雨满城，客心更劣矣。

法曲献仙音　吊雪香亭梅

松雪飘寒，岭云吹冻，红破数椒春浅。衬舞台荒，浣妆池冷，凄凉市朝轻换。叹花与，人凋谢，依依岁华晚。　　共凄黯。问东风、几番吹梦，应惯识当年，翠屏金辇。一片古今愁，但废绿、平烟空远。无语消魂，对斜阳、衰草泪满。又西泠残笛，低送数声春怨。

雪香亭在西湖葛岭张婉仪之集芳园中，由太后收归，理宗又赐贾平章。殿前古梅、老松甚多，有清胜堂、望江亭等处，而雪香亭梅花尤盛。玉辇临游，朱门歌舞，斯亭阅尽兴亡，老梅犹在，宜弁阳翁百感交集也。起笔写梅亭寒景，便带凄音，由荒亭说到朝市，由朝市说到看花之人，如峡猿之次第三声。后阕言“翠屏金辇”，何等繁华，而贞元朝士无多，惟历劫寒梅，犹亲见当年之盛，与汉苑铜仙、隋堤杨柳，同恋前朝。结句“西泠残笛”，寓余感于无穷矣。

甘州　灯夕书寄二隐

渐萋萋芳草绿江南，轻晖弄春容。记少年游处，箫声巷陌，灯影帘栊。月暖烘炉戏鼓、十里步香红。欹枕听新雨，往事朦胧。　还是江南梦晓，怕等闲愁见，雁影西东。喜故人好在，水驿寄诗筒。数芳程、渐催花信，送归帆、知第几番风。空吟想、梅花千树，人在山中。

词人老去，生平积感重重，更谁知我，赖有一二故交，尚可依依话旧，故草窗寄以此词。“少年游”五句箫声戏鼓，当日裘马英年，何等豪兴，惟老友尚知其情状。下阕言今虽暌别，幸水驿非遥，尚可通芳讯而达诚素，深盼春风早送归帆，牙期交谊，情见乎辞矣。

曲游春　游西湖

禁苑东风外，飏暖丝晴絮，春思如织。燕约莺期，恼芳情偏在，翠深红隙。漠漠香尘隔。沸十里、乱弦丛笛。看画船，尽入西泠，闲却半湖春色。　柳陌。新烟凝碧。映帘底宫眉，堤上游勒。轻暝笼寒，怕梨云梦冷，杏香愁幂。歌管酬寒食。奈蝶怨，良宵岑寂。正满湖、碎月摇花，怎生去得。

游湖之良辰乐事，以工丽之笔写之。论字句，则“燕约莺期”推为词眼；论纪游，则“画船”二句确肖当日游湖之状。《武林旧事》云：“都城自过收灯，贵游巨室争先出郊，谓之探春。水面画楫，栉比如鳞，无行舟之路。游之次第，先南而后北，至午，则尽入西泠桥里湖，其外几无一舸矣。弁阳老人有词云：‘看画船、尽入西泠，闲却半湖春色。’”马臻《霞外集》有诗云:“画船过午入西泠，人拥孤山陌上尘。应被弁阳模写尽，晚来闲却半湖春。”盖纪实也。

高阳台　送陈君衡被召

照野旌旗，朝天车马，平沙万里天低。宝带金章，樽前茸帽风欹。秦关汴水经行地，想登临、都付新诗。纵英游、叠鼓清笳，骏马名姬。　酒酣应对燕山雪，正冰河月冻，晓陇云飞。投老残年，江南谁念方回。东风渐绿西湖柳，雁已还、人未南归。最关情、折尽梅花，难寄相思。

陈君衡名允平。观其词意，当是受北朝干旌之召，为当时显宦。故上阕言旌旗笳鼓，骏马名姬，极写行色之壮。下阕但赋离情，于陈君衡出处，不加褒贬之词，仅言江湖投老，见两人穷达殊途，新朝有振鹭之歌，而故国无归鸿之信，意在言外也。

庆宫春　送赵元父过吴

重叠云衣，微茫鸿影，短篷稳载吴雪。霜叶敲寒，风灯摇晕，棹歌人语呜咽。拥衾呼酒，正百里、冰河乍合。千山换色，一镜无尘，玉龙吹裂。　夜深醉踏长虹，表里空明，古今清绝。高堂在否，登临休赋，忍见旧时明月。翠消香冷，怕空负、年芳轻别。孤山春早，一树梅花，待君同折。

此为严冬送友，由越水赴吴而作。拥衾孤艇，犯风雪而宵行，一片清寒之境，如营邱之画寒林，右丞之图雪景。转头处“夜深”“清绝”三句，俯仰古今，词境亦清绝。“旧时明月”五句为行人着想，盼其早归。上阕尤佳，觉拂纸有寒气也。

木兰花慢 西湖十景词 苏堤春晓

恰芳菲梦醒，漾残月，转湘帘。正翠崦收钟，彤墀放仗，台榭轻烟。东园。夜游乍散，听金壶、逗晓歇花签。宫柳微开露眼，小莺寂妒春眠。 冰奁。黛浅红鲜。临晓镜，竟晨妍。怕误却佳期，宿妆旋整，忙上雕軿。都缘探芳起早，看堤边、早有已开船。薇帐残香泪蜡，有人病酒恹恹。

首三句在将晓之前，“芳菲”二字更关合春意。“翠崦”三句已破晓矣。“东园”句回忆夜游，布局便有顿挫。“宫柳”二句赋“春晓”,而垂柳啼莺，兼有苏堤之景。以上阕写景，故下阕换言人事。“冰奁”三句言春城处处晨妆，有阿房宫绿云扰扰、争梳晓鬟之状。“怕误却佳期”三句因游湖而早起，苏堤晓色自在丽人盼想之中。“早开船”句推进一层写法，见更有早者，以写足春晓之意。“薇帐”结句乃反映之笔，亦有中酒高眠、辜负晓风春色者，意更周匝。

前调　平湖秋月

碧霄澄暮霭，引琼驾，碾秋光。看翠阙风高，珠楼夜午，谁捣玄霜。苍茫。玉田万顷，趁仙槎、咫尺接天潢。仿佛凌波步影，露浓佩冷衣凉。　明珰。净洗新妆。随皓彩，过西厢。正雾衣香润，云鬟绀湿，私语相将。鸳鸯。误惊梦晓，掠芙蓉、度影入银塘。十二阑干伫立，凤箫怨彻清商。

首三句言月之初出，用“碾”字殊精。“翠阙”三句已月到天中，湖光一白，故接以“玉田”四句，写平湖月色。“凌波”二句咏湖月而兼有人在。下阕即咏游湖玩月之人，鸳鸯惊梦，写月湖之幽景入妙。结句阑畔吹箫，乃赏月之余波也。

前调　断桥残雪

觅梅花信息，拥吟袖，暮鞭寒。自放鹤人归，月香水影，诗冷孤山。等闲。泮寒晛暖，看融城、御水到人间。瓦陇竹根更好，柳边小驻游鞍。　琅玕。半倚云湾。孤棹晚，载诗还。是醉魂醒处，画桥第二，奁月初三。东阑。有人步玉，怪冰泥、沁湿锦鹓斑。还见晴波涨绿，谢池梦草相关。

咏“苏堤春晓”,则言晓妆之人；咏“平湖秋月”,则言倚阑之人；此咏“残雪”,则言寻梅及踏雪之人，景中有人，便增姿态，词家之思路也。凡自城中至孤山探雪后梅花者，必道出断桥，故在题前着笔，而用“寒”“冷”等字，以状雪后。因沿堤尚有锦带桥，故云“画桥第二”，非苏堤之第二桥也。此词咏“残雪”，不及《春晓》《秋月》二词境界宽展，着想较难。而“瓦陇竹根”及冰鞋踏湿等句，颇见思致。结句“晴波涨绿”，则言雪消而春水渐生矣。

前调　雷峰落照

塔轮分断雨，倒霞影，漾新晴。看满鉴春红，轻桡占岸，叠鼓收声。帘旌。半钩待燕，料香浓、径远趱蜂程。芳陌人扶醉玉，路旁懒拾遗簪。　郊垧。未厌游情。云暮合、谩消凝。想罢歌停舞，烟花露柳，都付栖莺。重闉。已催凤钥，正钿车、绣勒入争门。银烛擎花夜暖，禁街淡月黄昏。

雷峰塔为吴越王时黄妃所建，亦称黄妃塔。后经劫火，阑槛悉毁，仅余塔身，红砖巍然，峙于雷峰高阜上，夕阳照之，古红与山翠相映，其状颓然一翁。昔人诗云："雷峰颓塔暮烟中。潦倒斜阳似醉翁。"又云："雷峰如老衲。"民国初年，塔圮。塔砖有吴王、吴妃等字，最精者，砖有孔穴，中藏佛经一卷，锦装玉签具在。余于塔圮时，得一砖，中有藏经，虽字稍损，在宋刻善本之前也。此词起笔即咏塔，以后言游人之多，风景之美，想见塔之壮丽，层层皆可登临。词中咏雷峰塔之处少，咏夕照光景者多，其地近接清波门，游湖者自北而南，经塔畔入城，故有"钿车争门"之句也。

前调 曲院风荷

软尘飞不到，过微雨，锦机张。正荫绿池幽，交枝径窄，临水追凉。宫妆。盖罗障暑，泛青蘋、乱舞五云裳。迷眼红绡绛彩，翠深偷见鸳鸯。　湖光。两岸潇湘。风荐爽，扇摇香。算恼人偏是，萦丝露藕，连理秋房。涉江。采芳旧恨，怕红衣、夜冷落横塘。折得荷花忘却，棹歌唱入斜阳。

曲院在湖之西，前后濒湖，地极幽静，故起笔云“尘飞不到”。上阕咏荷，而“乱舞云裳”句更切合“风荷”。“鸳鸯”句翠深红绚处，有微步凌波人在，故下阕接以“摇扇”“采芳”等句。因有涉江旧恨，故“露藕”“秋房”，由咏荷而涉遐想。歇拍处折花归去，所谓“忘却荷花记得愁”也。

前调 花港观鱼

六桥春浪暖，涨桃雨，鳜初肥。正短棹轻蓑，牵篱荇带，萦网莼丝。依稀。岸红溯远，漾仙舟、误入武陵溪。何处金刀脍玉，画船傍柳频催。　芳堤。渐满斜晖。舟叶乱，浪花飞。听暮榔声合，鸥沉暗渚，鹭起烟矶。涟漪。夜深浪静，任烟寒、自载月明归。三十六鳞过却，素笺不寄相思。

起三句实赋本题。以下“短棹”六句用“荇带”“莼丝”作陪衬。“金刀”二句由得鱼而作脍，宋嫂鱼羹风味，得出网湖鱼而益美。下阕舟过浪飞，鸥沉鹭起，皆状移舟暮归之景。鸣榔及“三十六鳞”句仍由鱼字生情。通篇写水乡风物，如身作烟波钓徒矣。

前调　南屏晚钟

疏钟敲暝色，正远树，绿愔愔。看渡水僧归，投林鸟聚，烟冷秋屏。孤云。渐沉雁影，尚残箫、倦鼓别游人。宫柳栖鸦未稳，露梢已挂疏星。　重城。禁鼓催更。罗袖怯，暮寒轻。想绮疏空掩，鸾绡翳锦，鱼钥收银。兰灯。伴人夜语，怕香消、漏永着温存。犹忆回廊待月，画阑倚遍桐阴。

钟声本在虚处，须着眼“晚”字，前六句从本题写起，宛然暮色苍茫。“残箫倦鼓”句言薄晚人归，见欢娱之易尽，若山寺钟声，为之唤醒，咏晚钟有深湛之思。“宫柳”二句言已将入夜，故下阕言罢游归去，灯畔香消，阑前月上，为闺中静夜，写芳恻之怀。下阕论题面，于南屏钟声，未免疏廓；论词句，固清丽为邻，亦志雅堂之佳制。

前调 柳浪闻莺

晴空摇翠浪，昼禽静，霁烟收。听暗柳啼莺，新簧弄巧，如度秦讴。谁紬。翠丝万缕，飏金梭、宛转织芳愁。风袅余音甚处，絮花三月宫沟。　扁舟。缆系轻柔。沙路远，倦追游。望断桥残日，蛮腰竞舞，苏小墙头。偏忧。杜鹃唤去，爱绵蛮、竟日挽春留。啼觉琼疏午梦，翠丸惊度西楼。

起首六句言凡鸟收声，娇莺独哢，得题前翔集之势。“翠缕金梭”句柳与莺合写。“风袅”二句余音远度，仍不脱“柳”字。转头处“系缆”四句言柳边听莺之人，借西泠苏小，用蛮腰舞态以关合“柳浪”。鹃催春去，而莺挽春留，写“闻莺”别有思致。收笔莺曳残声，犹惊午梦，词亦余音不尽也。

前调　三潭印月

游船人散后，正蟾影，泻寒湫。看冷沁鲛眠，清宜兔浴，皓彩轻浮。扁舟。泛天镜里，溯流光、澄碧浸明眸。栖鹭空惊碧草，素鳞远避金钩。　临流。万象涵秋。怀渺渺，水悠悠。念汉皋遗佩，湘波步袜，空想仙游。风收。翠奁乍启，度飞星、倒影入芳洲。瑶瑟谁弹古怨，渚宫夜舞潜虬。

此题在西湖十景中最难出色，因三潭高不盈丈，分峙湖面，无可形况。“印月”二字亦不易描写。此词从月浸波心着想，便得“印月”之神理。眠鲛、浴鹭、惊鱼等字皆言水底见月之深印。下阕因临流玩月而涉想仙佩凌波，寄情迢递，而“飞星倒影”及“夜舞潜虬”,仍从波心“印月”推想及之。弁阳翁赋此解时，颇费匠心矣。

前调　双峰插云

碧尖相对处，向烟外，挹遥岑。记舞鹫啼猿，天香桂子，曾去幽寻。轻阴。易晴易雨，看南峰、淡日北峰云。双塔秋擎露冷，乱钟晓送霜清。　登临。望眼增明。沙路白，海门青。正地幽天迥，水鸣山籁，风奏松琴。虚楹。半空聚远，倚阑干、暮色与云平。明月千岩夜午，溯风跨鹤吹笙。

咏西湖十景之首句，皆振裘挈领，无一轻率之笔。此词“碧尖相对”四字足为双峰写照。以阴晴云日分写双峰，“南峰”七字可称名句。旧有双塔，高耸峰颠，草窗犹及见之，故有“秋擎”之句，今仅余坏塔之基矣。下阕登高望远，固题中应有之义，妙在“沙白海青”，确是此处登临所见。倚阑而秋“与云平”,则双峰高插云中，不言而喻。结句置身在千仞之冈，宜飘飘有凌云气也。凡名胜之地，每以四字标其风景，如燕台八景、潇湘十景、金陵四十八景之类。而西湖十景尤为擅名。草窗十解，靡不工丽熨贴，如小李画之金碧楼台，故备录之。

三姝媚　送圣与还越

浅寒梅未绽。正潮过西陵，短亭逢雁。秉烛相看，叹俊游零落，满襟依黯。露草霜花，愁正在、废宫芜苑。明月河桥，笛外樽前，旧情消减。　莫诉离觞深浅。恨聚散匆匆，梦随帆远。玉镜尘昏，怕赋情人老，后逢凄惋。一样归心，又唤起、故园愁眼。立尽斜阳无语，空江岁晚。

此送王碧山归越中之作。“废宫芜苑”句有“顾瞻周道”之悲，“故园愁眼”句有“日暮乡关”之感。起三句纪送别之时，其余皆叙别意，深情宛转，惆怅河梁。“后逢凄惋”四字尤为沉痛。此家、国及离索之三种牢愁，皆在老年并集，人何以堪！临江无语，惟有“立尽斜阳”。释迦佛所云“无可说”“无可说”也。

探芳信　西泠春感

步晴昼。向水院维舟，津亭唤酒。叹刘郎重到，依依漫怀旧。东风空结丁香怨，花与人俱瘦。甚凄凉、暗草沿池，冷苔侵甃。　桥外晚风骤。正香雪随波，浅烟迷岫。废苑尘梁，如今燕来否。翠云零落空堤冷，往事休回首。最消魂、一片斜阳恋柳。

西湖当南宋时，翠华临幸，士女嬉游，花月楼台，为西湖千百年来极盛之际。自白雁渡江以后，朝市都非，草窗以凄清词笔写之。“人花俱瘦”句言花事之阑珊，“暗草沿池”句言池馆之凋残，“废苑尘梁”句言离宫之冷落，触处生悲，不尽周原之感，湖山举目，谁动余哀，剩有白发遗黎，扶筇凭吊，如残阳之恋柳耳。

水龙吟　白荷

素鸾飞下青冥，舞衣半惹凉云碎。蓝田种玉，绿房迎晓，一奁秋意。擎露盘深，忆君清夜，暗倾铅水。想鸳鸯正结，梨云好梦，西风冷，还惊起。　应是飞琼仙会。倚凉飙、碧簪斜坠。轻妆斗白，明珰照影，红衣羞避。霁月三更，粉云千点，静香十里。听湘弦奏彻，冰绡偷剪，聚相思泪。

起笔取喻新颖，笔势亦如翔鸾之破空而下。“蓝田”三句咏本题。“擎露”三句有铜仙恋汉之悲。“惊起鸳鸯”句兼感身世。下阕咏本题而托诸仙踪，如素娥飞下广寒，俗艳红妆，自应避舍。“霁月三更”句咏“白”字，不事雕饰，句法雅切而浑成。以怨歌作结，更见君国之爱。

踏莎行　与莫两山谈邗城旧事

远草情钟，孤花韵胜。一楼耸翠生秋暝。十年二十四桥春，转头明月箫声冷。　赋药才高，题琼语俊。蒸香压酒芙蓉顶。景留人去怕思量，桂窗风露秋眠醒。

此词追忆扬州，“明月箫声”与姜白石之空城画角，同其凄韵。“赋药”等句谓药阑咏金带之篇，玉蕊访唐昌之观，往日抽毫进牍，在蒸香压酒之旁，曾日月之几何，顿换“桂窗风露”,旧欢若梦，如玉溪生之追忆惘然矣。

王沂孙　三十六首

醉蓬莱　归故山

扫西风门径，黄叶凋零，白云萧散。柳换枯阴，赋归来何晚。爽气霏霏，翠蛾眉妩，聊慰登临眼。故国如尘，故人如梦，登高还懒。　数点寒英，为谁零落，楚魄难招，暮寒堪揽。步屧荒篱，谁念幽芳远。一室秋灯，一庭秋雨，更一声秋雁。试引芳尊，不知消得，几多依黯。

词为归故山而作，起笔萧飒之音，凌纸而发。“翠蛾”二句知我无人，谁相慰藉，有“相看两不厌，只有敬亭山”之意。“故国”二句怀人恋阙，以浑成之笔写之。“寒英”六句写匏瓜无匹之感。“秋灯”三句清愁重叠而来，句法如明珠一串，宜周公谨称为“玉笛天律，锦囊昌谷”也。

踏莎行　题《草窗词》卷

白石飞仙，紫霞凄调。断歌人听知音少。几番幽梦欲回时，旧家池馆生青草。　风月交游，山川怀抱。凭谁说与春知道。空留离恨满江南，相思一夜蘋花老。

以浑朴之笔，发凄恋之音，可见交谊深挚，紫霞、白石，弁阳翁庶几当之。“风月”“山川”二句凝重而倜傥，总括草窗之词境，亦隐以自道。此调与稼轩《贺新郎》词之怀同甫，玉田《琐窗寒》词之怀碧山，皆令人增朋友之重。

一萼红　丙午春赤城山中题花光卷

玉婵娟。甚春余雪尽，犹未跨青鸾。疏萼无香，柔条独秀，应恨流落人间。记曾照、黄昏淡月，渐瘦影、移上小阑干。一点清魂，半枝空色，芳意班班。　重省嫩寒清晓，过断桥流水，问讯孤山。冰粟微消，尘衣不浣，相见还误轻攀。未须讶、东南倦客，掩铅泪、看了又重看。故国吴天树老，雨过风残。

起六句确是题梅花卷而非咏梅。“玉婵娟”三句云思霞想，破空而来。“淡月”“阑干”二句咏花影以衬托画梅，仍不实赋梅花，词心灵妙。下阕“孤山”句罗浮庾岭，梅花盛处，而独言孤山者，盖寓宗国之思，故歇拍有“故国”“风残”之慨。后幅与姜白石《疏影》词咏梅同意。掩泪频看，低回不尽，与禾黍周原同感矣。

醉落魄

小窗银烛。轻鬟半拥钗横玉。数声春调清真曲。拂拂珠帘，残影乱红扑。　垂杨学画蛾眉绿。年年芳草迷金谷。如今休把佳期卜。一掬春情，斜月杏花屋。

梦窗《惜黄花慢》闻歌词自序云：“连歌数阕，皆清真词。”此亦云“春调清真曲”，盖清真词本擅名，又得大晟提唱，遂遍播于青帘红袖间也。前半赋闻歌，而承以红雨扑帘；后半赋怀人，而承以“斜月杏花”，皆用灵秀之笔，虚写风物，而情怀自见。

天香　龙涎香

孤峤蟠烟，层涛蜕月，骊宫夜采铅水。讯远槎风，梦深薇露，化作断魂心字。红瓷候火，还乍识、冰环玉指。一楼萦帘翠影，依稀海山云气。　几回殢娇半醉。剪春灯、夜寒花碎。更好故溪飞雪，小窗深闭。荀令如今顿老，总忘却尊前旧风味。漫惜余熏，空篝素被。

咏物工细之作，唐五代以来绝少，南宋较多。此调前半体物浏亮，后半即物寓情，咏物之名作也。起笔切合而极凝炼，“蟠”字、“蜕”字尤工。“萦帘”二句既状香痕荡漾，而以海山云气关合本题，在离合之间。后四句藉香以寓身世今昔之感，开合有致。

疏影　咏梅影

琼妃卧月。任素裳瘦损，罗带重结。石径春寒，碧藓参差，相思曾步芳屧。离魂分破东风恨，又梦入、水孤云阔。算如今，也厌娉婷，带了一痕残雪。　犹记冰奁半掩，冷枝画未就，归棹轻折。几度黄昏，忽到窗前，重想故人初别。苍虬欲卷涟漪去，慢蜕却、连环香骨。早又是、翠荫蒙茸，不似一枝清绝。

宋词中咏梅诸作，各有思致，此作清超而兼回曲之趣。起首“琼妃”四字殊新颖。“芳屧”句有陈思王“凌波罗袜”之思，未必有其人，而文人每有此托想。下阕由折花归去而忆及故人，旋见翠叶成阴，叹芳时之易逝，既惜别而又惜花，可以兴，可以怨矣。集中尚有《一萼红·石屋探梅》之作，不及此首之精。

法曲献仙音　聚景亭梅次草窗韵

层绿峨峨，纤琼皎皎，倒压波痕清浅。过眼年华，动人幽意，相逢几番春换。记唤酒，寻芳处，盈盈褪妆晚。　已销黯。况凄凉、近来离思，应忘却、明月夜深归辇。荏苒一枝春，恨东风、人似天远。纵有残花，洒征衣、铅泪都满。但殷勤折取，自遣一襟幽怨。

为咏聚景亭梅和草窗韵而作。亭在聚景园中，梅林极盛。碧山屡往游之，故上阕有几度寻芳之语。董嗣杲《西湖百咏》注云：“阜陵致养北宫，拓圃西湖之东，并浮屠之庐九，曾经四朝临幸。继以谏官陈言，出郊之令遂绝。”故下阕云“明月夜深归辇”，想见当日宸游之乐。迨年久境迁，园亭芜圮，悠悠行客，孰动余悲。故“满”字韵云纵有残花，惟凄凉过客泪洒征衣耳。《梦粱录》载高似孙过聚景园诗“水际春风寒漠漠，官梅却作野梅开”，与碧山同感也。

淡黄柳

花边短笛。初结孤山约。雨悄风轻寒漠漠。翠镜秦鬟钗别，同折幽芳怨摇落。　素裳薄。重拈旧红萼。叹携手，转离索，料青禽、一梦春无着。后夜相思，素蟾低照，谁扫花阴共酌。

此词与草窗叙别。伤会少而离多，虽别友之常情，未见警拔处，但碧山与草窗在宋季并辔词场，两情至厚，曾录别于孤山，次年遇于会稽，旋别去，又次年，草窗自剡溪还，匆匆执手，又复分襟。故结句云“花阴共酌”，回应首句，盼其重践孤山之约。通首历叙萍踪，含情宛转，牙期、管鲍，平生能有几人？南浦移舟，山阳闻笛，同此黯然之思也。

长亭怨　重过中庵故园

泛孤艇、东皋过遍。尚记当日，绿阴门掩。屐齿莓阶，酒痕罗袖、事何限。欲寻前迹，空惆怅、成秋苑。自约赏花人，别后总、风流云散。　水远。怎知流水外，却是乱山尤远。天涯梦短，想忘了、绮疏雕槛。望不尽、冉冉斜阳，抚乔木、年华将晚。但数点红英，犹识西园凄惋。

语云：“愁苦之音，工于欢娱之言。”上阕之意，人在颓垣废苑间易生惆怅，况赏花人远，陈迹重重，尽逐烟云而散，能不惘然！下阕承上别后而言，水远而山外尤远，有恨如春草、更远更生之意，见离情之无际。我念故人，恐故人忘我，正愁心缥缈之时，顾斜日而嗟逝景，抚乔木而惜年芳，四望寂寥，惟数点残花，尚伴人凄惋。后半词意愈转而愈悲，如闻江上琵琶，声声掩抑也。

西江月　为赵元父赋雪梅图

褪粉轻盈琼靥，护香重叠冰绡。数枝谁带玉痕描。夜夜东风不扫。　溪上横斜影淡，梦中落寞魂消。峭寒未肯放春娇。素被独眠清晓。

“褪粉”二句雪梅合咏，双管齐下。“东风不扫”四字确是画中雪梅，词心工细。结句“素被”六字即实赋雪梅，亦是佳句。况合“峭寒”句观之，仍是虚写画中雪梅，字句捶炼而出，犹其余事也。赵元父为燕王八世孙，入元为辰州教授，愧此梅花高节矣。颇工词曲，有“香月照妆秋雾薄，水云飞佩藕丝轻”及“雁声能到画楼中。也要玉人知道有秋风”等句，其词笔颇近碧山。

庆宫春　水仙花

明玉擎金，纤罗飘带，为君起舞回雪。柔影参差，幽芳零乱，翠围腰瘦一捻。岁华相误，记前度、湘皋怨别。哀弦重听，都是凄凉，未须弹彻。　国香到此谁怜，烟冷沙昏，顿成愁绝。花恼难禁，酒消欲尽，门外冰澌初结。试招仙魄，怕今夜、瑶簪冻折。携盘独出，空想咸阳，故宫落月。

起笔二句工整。“起舞”“瘦腰”四句从水仙化身着想，遂觉仙影翩嬛，色香双绝。“前度”句以湘皋映带水仙，而以“怨别”二字领起下阕之意。“哀弦”三句用琴中《水仙操》以切合本题。且廿五湘弦与“湘皋”句融成一片。转头处“国香”句及歇拍“故宫”句标明借花写怨之怀，既感喟身世，复眷念宗国，故下阕烟昏月冷等辞，满纸皆凄寒之韵也。

高阳台

残萼梅酸，新沟水绿，初晴节序暄妍。独立雕阑，谁怜枉度华年。朝朝准拟清明近，料燕翎、须寄银笺。又争知、一字相思，不到吟边。　　双蛾不拂青鸾冷，任花阴寂寂，掩户闲眠。屡卜佳期，无凭却怨金钱。何人寄与天涯信，趁东风、急整归船。纵飘零、满院杨花，犹是春前。

芳春正好，而留滞未归，紫燕盼书，金钱卜信，怀人与怀乡之念，并集客中，宜其词之善感矣。张叔夏评碧山词云：“琢语峭拔，有白石意度。”今观此类之词，笔势回旋，情致悱恻，是碧山所长，若云峭拔，视白石似尚隔一尘也。〇编者按：此词本书227页尚有论释。

一萼红　初春怀旧

小庭深。有苍苔老树，风物似山林。侵户清寒，捎池急雨，时听飞过啼禽。扫荒径、残梅似雪，甚过了、人日更多阴。压酒人家，试灯天气，相次登临。　犹记旧游亭馆，正垂杨引缕，嫩草抽簪。罗带同心，泥金半臂，花畔低唱轻斟。又争信、风流一别，念前事、空惹恨沉沉。野服山筇醉赏，不似如今。

春阴庭院，静境宜人，试灯压酒，大好韶光冉冉从闲中度去，前半皆赋“初春”，虽未赋“怀旧”，已含有凄清之思。后半皆赋“怀旧”，嫩草垂杨，当日俊游，亦初春天气，乃风物依然，而酒边人远，俯仰今昔之怀，娓娓写来，如听清谈屑玉也。

声声慢　和周草窗

迎门高髻，倚扇清吭，娉婷未数西州。浅拂朱铅，春风二月梢头。相逢靓妆俊语，有旧家、京洛风流。断肠句，试重拈彩笔，与赋闲愁。　犹记凌波欲去，问明珰罗袜，却为谁留。枉梦相思，几回南浦行舟。莫辞玉尊起舞，怕重来、燕子空楼。漫惆怅，抱琵琶、闲过此秋。

绮梦消沉，余情萦曳，通篇皆感旧成吟。其言朱铅浅拂，螺髻高盘，想见当日京洛妆饰之盛。继言南浦兰舟去后，花随流水，蝉过别枝，殊有洛里柳枝之慨。余暖檀槽，徒存惆怅耳。此词叙情明顺，无事寻绎。以倩丽之笔，致低回之意，碧山所擅长也。

摸鱼儿　莼

玉帘寒、翠丝微断，浮空清影零碎。碧芽也抱春洲怨，双卷小缄芳字。还又似。系罗带、相思几点青钿缀。吴中旧事。怅酪乳争奇，鲈鱼谩好，谁与共秋醉。　江湖兴，昨夜西风又起。年年轻误归计。如今不怕归无准，却怕故人千里。何况是。正落日、垂虹怎赋登临意。沧浪梦里。纵一舸重游，孤怀暗老，余恨渺烟水。

前四句赋“莼”，细腻熨贴。“罗带”二句喻新而句秀。“吴中”四句以酪乳、鲈鱼为“莼”作陪宾，佐秋来之一醉，笔致生动。下阕因莼鲈而动乡思，兼有蒹葭忆远之情。因前半首征实，故后半课虚，虚实相乘，乃布局揣称处。后路托想迢递，词客秋怀，与烟水同其浩渺矣。

齐天乐　蝉

绿阴千树西窗悄，厌厌昼眠惊起。嫩翼风微，流声露悄，半翦冰笺谁寄。凄凉倦耳。漫重拂琴丝，怕寻冠珥。梦短深宫，向人犹自诉憔悴。　残虹收尽过雨，晚来频断续，都是秋意。病叶难留，纤柯易老，空忆斜阳身世。山明月碎。甚已绝余音，尚遗枯蜕。鬓影参差，断魂青镜里。

起笔二句便得闻蝉神理。“嫩翼”二句咏本题。“冰笺”至“憔悴”六句是蝉是人，同抱身世之感。转头处三句虹收残雨、惊耳秋声，即写景亦是佳句，况咏蝉耶！“病叶”三句无限苍凉之思，尤耐吟讽。结笔“枯蜕”“断魂”四句咏蝉固佳，何凄清乃尔耶？

前调

一襟余恨宫魂断，年年翠阴庭树。乍咽凉柯，还移暗叶，重把离愁深诉。西窗过雨。怪瑶佩流空，玉筝调柱。镜掩妆残，为谁娇鬓尚如许。　铜仙铅泪似洗，叹移盘去远，难贮零露。病翼惊秋，枯形阅世，消得斜阳几度。余音更苦。甚独抱清商，顿成凄楚。谩想熏风，柳丝千万缕。

前首咏蝉乃身世之感，此首乃宗社之痛。端木子畴评此词云：“详味词意，‘宫魂’字点出命意。‘乍咽’‘还移’，慨播迁也。‘西窗’三句伤敌骑暂退，燕安如故。‘镜掩’二句残破满眼，而修容饰貌，侧媚依然。‘铜仙’三句宗器重宝均被迁夺。‘病翼’二句更痛哭流涕，言海岛栖流，决不能久。‘余音’三句遗臣孤愤，哀怨难论。‘谩想’二句责诸臣到此尚安危利灾，视若全盛也。”其论与张皋文、周止庵之言相合，余亦从之。沧桑遗黎，诵之呜咽。

南浦　春水

柳下碧粼粼，认曲尘、乍生色嫩如染。清溜满银塘，东风细、参差縠纹初遍。别君南浦，翠眉曾照波痕浅。再来涨绿迷旧处，添却残红几片。　葡萄过雨新痕，正拍拍轻鸥，翩翩小燕。帘影蘸楼阴，芳流去、应有泪珠千点。沧浪一舸，断魂重唱蘋花怨。采香幽径鸳鸯睡，谁道湔裙人远。

咏春水不难于写景言情，而难于寓情于景，沉思入细。此作一往情深，且有托意。“南浦”以下四句及“帘影”至结句皆经意之作。如永叔之方夜读，树树秋声；如司马之听琵琶，弦弦掩抑也。与玉田《春水》词可称双美。

花犯　苔梅

古婵娟，苍鬟素靥，盈盈瞰流水。断魂千里。叹绀缕飘零，难系离思。故山岁晚谁堪寄。琅玕聊自倚。谩记我、绿蓑冲雪，孤舟寒浪里。　三花两蕊破蒙茸，依依似有恨、明珠轻委。云卧稳，蓝衣正，护春憔悴。罗浮梦、半蟾挂晓，么凤冷、山中人乍起。又唤取、玉奴归去，余香空翠被。

此调后半首尤佳。周止庵云："不减白石风流也。"赋物能将人景情思，一齐融入，最是白石长处。以咏题面而论，起笔"苍鬟"句与后幅之以"云卧""护春"二句写"苔梅"，皆雅逸而兼巧思。

露华　碧桃

晚寒伫立。记铅轻黛浅，初认冰魂。碧罗衬玉，犹凝茸唾香痕。净洗妒春颜色，胜小红、临水湔裙。烟渡远，应怜旧曲，换叶移根。　山中去年人别，怪月悄风轻，闲掩重门。琼肌瘦损，那堪燕子黄昏。几片过溪浮玉，似夜归、深雪前村。芳梦冷，双禽误宿粉云。

此词咏碧桃凡二首，录其第二首。其下阕取径远而布势曲，无语不工，尤耐寻味。写溪上桃花，如三素仙姝，静夜向清波照影也。

眉妩　新月

渐新痕悬柳，淡彩穿花，依约破初暝。便有团圆意，深深拜，相逢谁在香径。画眉未稳。料素娥、犹带离恨。最堪爱、一曲银钩小，宝帘挂秋冷。　千古盈亏休问。叹漫磨玉斧，难补金镜。太液池犹在，凄凉处、何人重赋清景。故山夜永。试待他、窥户端正。看云外山河，还老桂花旧影。

上阕赋本题，人与月兼写，描摹工雅，若一串牟尼，粒粒皆含精采。下阕故国之念甚深，“云外山河”，尚留“旧影”，而新亭举目，朝市全非，纵有吴刚“玉斧”，焉能补破碎金瓯耶！

水龙吟　牡丹

晓寒慵揭珠帘，牡丹院落花开未。玉阑干畔，柳丝一把，和风半倚。国色微酣，天香乍染，扶春不起。自真妃舞罢，谪仙赋后，繁华梦，如流水。　池馆家家芳事。记当时、买栽无地。争如一朵，幽人独对，水边竹际。把酒花前，剩拼醉了，醒来还醉。怕洛中春色，匆匆又入，杜鹃声里。

前七句赋牡丹正面。“真妃”四句借唐宫遗恨，慨天水之消沉。下阕言众醉盈廷，独醒何补，咏花亦以自悼。结句言京洛春光虽好，白雁南来，帝业共春光俱逝，但微旨及之，不说尽耳。

前调 海棠

世间无此娉婷，玉环未破东风睡。将开半敛，似红还白，余花怎比。偏占年华，禁烟才过，夹衣初试。叹黄州一梦，燕宫绝笔，无人解，看花意。　犹记花阴同醉。小阑干、月高人起。千枝媚色，一庭芳景，清寒似水。银烛延娇，绿房留艳，夜深花底。怕明朝、小雨濛濛，便化作，燕支泪。

此词惟上下阕之结句见本意，其余皆咏海棠。“黄州”三句言自东坡去后，俊赏无人，叹人才销乏，负此名花。下阕“明朝小雨”二句黯然家国之悲，音在弦外花香细雨间，杜娘红泪，与燕支同洒春衫矣。

前调　落叶

晓霜初着青林，望中故国凄凉早。萧萧渐积，纷纷犹坠，门荒径悄。渭水风生，洞庭波起，几番秋杪。想重崖半没，千峰尽出，山中路，无人到。　前度题红杳杳。溯宫沟、暗流空绕。啼螀未歇，飞鸿欲过，此时怀抱。乱影翻窗，碎声敲砌，愁人多少。望吾庐甚处，只应今夜，满庭谁扫。

淮南子云："木叶落，长年悲。"见落叶而伤秋，词人每有此感。但碧山忠爱之忱，出于不容已，故词中"宫沟""故国"，触处生悲。"渭水""洞庭"句引乱愁于无次，"山路无人"句叹劫后之萧条。下阕因落叶而动乡思，断雁残螀，同其凄韵。此词"洞庭"七句及"前度"以下五句颇警动。集中尚有《绮罗香·红叶》云："千林摇落渐少，何事西风老色，争妍如许。二月残花，空误小车山路。重认取，流水荒沟，怕犹有、寄情芳语。但凄凉、秋苑斜阳，冷枝留醉舞。"其下半阕无语不悲也。

前调　白莲

翠云遥拥环妃，夜深按彻霓裳舞。铅华净洗，涓涓出浴，盈盈解语。太液荒寒，海山依约，断魂何许。甚人间别有，冰肌雪艳，娇无奈，频相顾。　三十六陂烟雨。旧凄凉、向谁堪诉。如今谩说，仙姿自洁，芳心更苦。罗袜初停，玉珰还解，早凌波去。试乘风一叶，重来月底，与修花谱。

集中倚《水龙吟》调凡五首，皆咏物之作，赋体与兴体兼有之。咏白莲两首，次首尤胜。惟起五句咏本题，余皆藉花以抒感。“海山”“断魂”句言末漂流海岛，落日狂涛，宫车不返。“别有冰肌”四句意谓两朝冠剑，降表签名，大有人在，而不欲斥言，乃托词以隐刺。后段“仙姿”二句尤为撄心深痛，纵埋名削迹，安能解其饮冰茹檗之悲，何异于落尽莲衣而莲心更苦，乃极写其哀思。“早凌波去”句怅鼎湖之去远，“乘风盼归”句，乃抱弓剑而仍号也。凡作咏物词，须切定本题，如清真《水龙吟》咏梨花，既用樊川、灵关事，又用“深闭门”及“一枝带雨”以切合之，若仅言花白，安见即是梨花。碧山此词，虽意在君国，而本题亦不抛荒。首句之“翠云环妃”及后段之“仙姿自洁”“玉珰凌波”句仍雅切白莲，可谓句意兼得矣。

齐天乐　萤

碧痕初化池塘草，荧荧野光相趁。扇薄星流，盘明露滴，零落秋原飞磷。练裳暗近。记穿柳生凉，度荷分暝。误我残编，翠囊空叹梦无准。　楼阴时过数点，倚阑人未睡，曾赋幽恨。汉苑飘苔，秦陵坠叶，千古凄凉不尽。何人为省。但隔水余辉，傍林残影。已觉萧疏，更堪秋夜永。

上阕句句切本题，工致妥贴，咏物之本色。下阕以“幽恨”二字领起下文。“汉苑”“秦陵”以下，今愁古怨，并赴毫端，如秋声自西南来，金铁皆鸣。“余辉”“残影”句草间之爝火，即劫后之遗民，为之一叹。《花外集》凡词六十五首，而咏物近三十首，有寄托者为多。周止庵评其词云：“咏物最争托意，隶事处以意贯串，浑化无痕，碧山胜场也。”

前调　赠秋崖道人西归

冷烟残水山阴道，家家拥门黄叶。故里鱼肥，初寒雁落，孤艇将归时节。江南恨切。问还与何人，共歌新阕。换尽秋芳，想渠西子更愁绝。　当时无限旧事，叹繁华似梦，如今休说。短褐临流，幽怀倚石，山色重逢都别。江云冻结。算只有梅花，尚堪攀折。寄取相思，一枝和夜雪。

宋末遗民之能词者甚多，此词“冷烟残水”首句即有剩水残山之慨，秋崖亦遗民之一也。“拥门黄叶”句绝好之秋山图画。“秋芳西子”句因秋崖归越，故引用越中西子，而言愁换秋芳，面面俱到。“短褐”三句申足首句“残水山阴”之意。“江云梅花”句回顾上阕“还与何人”句，如唐遗民苍雪诗之“独向梅花说到明”也。

庆清朝　榴花

玉局歌残，金陵句绝，年年负却熏风。西邻窈窕，独怜入户飞红。前度绿阴载酒，枝头色比舞裙同。何须拟，蜡珠作蒂，缃彩成丛。　　谁在旧家殿阁，自太真仙去，扫地春空。朱幡护取，如今应误花工。颠倒绛英满径，想无车马到山中。西风后，尚余数点，还胜春浓。

词中引用古事，以用其事不用其名为佳。《片玉词》多用两人名作对语，如《宴清都》之“庾信愁多，江淹恨极”、《过秦楼》之“才减江淹，情伤荀倩”，虽词句似凝重，而能不露人名，尤为隐秀。碧山此词之“玉局”“金陵”，《水龙吟·海棠》之“黄州”“燕宫”，皆引其事不显其名也。此词虽咏花，而起三句即含有社屋之悲。以下七句皆咏本题。转头处即明言“旧家殿阁”，以后皆兼写其禾黍之思。观其“车马山中”句当是咏西湖行殿之榴花。结句言数点余红，犹胜于浓酣之春色，喻己之一点丹心，耿然长在，与吴梅村诗之“石榴喷火照皇都，再哭苍梧愧左徒”，有同感也。

高阳台

残萼梅酸，新沟水绿，初晴节序暄妍。独立雕阑，谁怜枉度华年。朝朝准拟清明近，料燕翎、须寄银笺。又争知、一字相思，不到吟边。　双蛾不拂青鸾冷，任花阴寂寂，掩户闲眠。屡卜佳期，无凭却怨金钱。何人寄与天涯信，趁东风、急整归船。纵飘零、满院杨花，犹是春前。

此词纯是怀人之作。“燕翎”四句及下阕“佳期”以下至结句，皆用旋折之笔，而情思亦随之萦转。纡徐为妍，词家之佳境也。观其“飘零”“杨花”三句，似有所讽。或有友在北庭，盼其早归，谓新命弹冠，不若故山戢景，但无事证，未敢断言。《花外集》中固多寓意，但篇篇求深，必失之愈远。如《龙涎香》词，论者必附会谢太后及海外事，失之穿凿矣。〇编者按：此词本书213页已有论述，此特补申“似有所讽”意。

前调

驼褐轻装，狨鞯小队，冰河夜渡流澌。朔雪平沙，飞花乱拂蛾眉。琵琶已是凄凉调，更赋情、不比当时。想如今、人在龙庭，初劝金卮。　一枝芳讯应难寄，向山边水际，独抱相思。江雁孤回，天涯人自归迟。归来依旧秦淮碧，问此愁、还有谁知。对东风、空似垂杨，零乱千丝。

原序云："陈君衡远游未还。周公谨有怀人之赋，倚歌和之。"公谨之词，言金章宝带，行色庄严。此言朔雪龙庭，当是奉使远赴元廷。公谨词言"都付新诗"，此言"当时赋情"，盖其人亦能文，为公谨碧山之吟侣，故皆赠以长歌，盼其早归。碧山此作，上下阕之后段，颇见交情。且意有所属，谓即使能归，恐秦淮碧水依然，犹朝政仍苟安旦夕，此愁将谁语耶？

前调　和周草窗寄越中诸友韵

残雪庭阴，轻寒帘影，霏霏玉瑄春葭。小帖金泥，不知春在谁家。相思一夜窗前梦，奈个人、水隔天遮。但凄然，满树幽香，满地横斜。　江南自是离愁苦，况游骢古道，归雁平沙。怎得银笺，殷勤与说年华。如今处处生芳草，纵凭高、不见天涯。更消他，几度东风，几度飞花。

碧山与公谨并负时名，其交友多词坛遗逸，故公谨寄词，切时雨停云之感。碧山和之，亦有屋梁落月之思。此词前半首平叙初春怀友，其经意在后半首以蕴藉之笔，致缠绵之怀。“芳草天涯”句忧生念乱，情见乎辞。结句更有“来轸方遒”之慨。

扫花游　二首〇绿阴

小庭荫碧，遇骤雨疏风，剩红如扫。翠交径小。问攀条弄蕊，有谁重到。漫说青青，比似花时更好。怎知道。自一别汉南，遗恨多少。　清昼人悄悄。任密护帘寒，暗迷窗晓。旧盟误了。又新枝嫩子，总随春老。渐隔相思，极目长亭路杳。搅怀抱。听蒙茸、数声啼鸟。

卷帘翠湿，过几阵残寒，几番风雨。问春住否。但匆匆暗里，换将花去。乱碧迷人，总是江南旧树。谩凝伫。念昔日采香，今更何许。　芳径携酒处。又荫得青青，嫩苔无数。故林晚步。想参差渐满，野塘山路。倦枕闲床，正好微曛院宇。送凄楚。怕凉声、又催秋暮。

周止庵评此二调云：“前首感盛时易去，次首刺朋党日繁。”其语诚为有见。寻绎词意，前首“遗恨多少”句兼伤时事之日非。“旧盟”“新枝”三句怅老成凋谢而后进无人。“啼鸟”句言嬴得莠言乱政耳。次首“乱碧迷人”句固有白香山原草又生之喻。其下“采香”句因乱碧而念采香人远，有“天地闭，贤人隐”之慨。下阕“青苔”“野塘”数语，深感朋党之遍布。结句言大好曛和庭院，恐容易惊秋，犹云大好金瓯，恐为纤儿撞毁耳。以咏本题而论，昔人之赋“绿阴”者，如“春风取花去，酬我以清阴”及“绿阴幽草胜花时”，又“深深院落阴阴柳，纵使无花也看来”皆称佳句。此词赋“绿阴”，静细而有潆洄之态，亦咏物之雅制也。

应天长

疏帘蝶粉，幽径燕泥，花间小雨初足。又是禁城寒食，轻舟泛晴渌。寻芳地，来去熟。尚仿佛、大堤南北。望杨柳、一片阴阴，摇曳新绿。　　重访艳歌人，听取春声，犹是杜郎曲。荡漾去年春色，深深杏花屋。东风曾共宿。记小刻、近窗新竹。旧游远，沉醉归来，满院银烛。

上阕仅叙述旧游，其婉妙处在“荡漾去年春色”至结句，笔致亦若春风之荡漾，当年之题竹小诗，醉花深屋，如流尘逐梦矣。结句四字，昌黎之咏银烛，在共醉之时，此则在独归之后，其有“烛消人瘦”之感耶？

八六子

洗芳林。几番风雨，匆匆老尽春禽。渐薄润侵衣不断，嫩凉随扇初生，晚窗自吟。　沉沉幽径芳寻。晻霭苔香帘净，萧疏竹影庭深。谩淡却蛾眉，晨妆慵扫，宝钗虫散，绣屏鸾破，当时暗水和云泛酒，空山留月听琴。料如今。门前数重翠阴。

上阕惜春光之易老，下阕“蛾眉”句以下感旧而兼怀人，承以“宝钗”二句，凄艳动人。《八六子》之腔拍生硬，作者自然雅逸出之，若不经意，而情景并到。结处余韵不尽，句亦浑成。

望梅

画阑人寂。喜轻盈照水，犯寒先坼。臬芳枝、云缕鲛绡，露浅浅涂黄，汉宫娇额。剪玉裁冰，已占断、江南春色。恨风前素艳，雪里暗香，偶成抛掷。　如今眼穿故国。待拈花弄蕊，时话思忆。想陇头、依约飘零，甚千里芳心，杳无消息。粉怯珠愁，又只恐、吹残羌笛。正斜飞、半窗晓月，梦回陇驿。

此调前六句实赋梅花，余虽句句咏梅，而处处有宗国之思。陈廷焯《白雨斋词话》云："碧山词性情和厚，学力精深，怨慕幽思，本诸忠厚，而运以顿挫之姿，沉郁之笔，论其词品，已臻绝顶。"又称碧山词为："诗中之曹子建、杜子美也。"王鹏运于光绪间刻《碧山乐府》一卷，取鲍氏刻本，重加校订，并增戈顺卿校勘数则，称其词可"颉颃双白，揖让二窗，实为南渡之杰"。推许甚至。余谓五代词人，以身值乱离，不敢昌言，故忠爱之忱，每托诸绛唇珠袖，碧山则借物兴怀，不作喁喁儿女语，陈君称其词品之高，洵不虚也。

王易简　七首

齐天乐　客长安赋

宫烟晓散春如雾。参差护晴窗户。柳色初分，饧香未冷，正是清明百五。临流笑语。映十二阑干，翠颦红妒。短帽轻鞍，倦游曾遍断桥路。　东风为谁媚妩。岁华频感慨，双鬓何许。前度刘郎，三生杜牧，赢得征衫尘土。心期暗数。总寂寞当年，酒筹花谱。付与春愁，小楼今夜雨。

上阕赋长安春景，清丽而有倜傥之度。起笔“宫烟”二句颇新，词家鲜咏及者。下阕叙客怀，闲淡写来，不作忧伤过分语。结句欲写春愁，而付诸“小楼夜雨”，语殊蕴藉。

酹江月

暗帘吹雨，怪西风梧井，凄凉何早。一寸柔情千万缕，临镜霜痕惊老。雁影关山，蛩声院宇，做就新怀抱。湘皋遗佩，故人空寄瑶草。　已是摇落堪悲，飘零多感，那更长安道。衰草寒芜吟未尽，无那平烟残照。千古闲愁，百年往事，不了黄花笑。渔樵深处，满庭红叶休扫。

上阕悲秋兼怀友，清稳而未见警拔。下阕“衰草”至“黄花”五句颇为超旷。草窗之友，固无弱手也。

天香　龙涎香

烟峤收痕，云沙拥沫，孤槎万里春聚。蜡杵冰尘，水妍花片，带得海山风露。织痕透晓，银镂小、初浮一缕。重翦纱窗暗烛，深垂绣帘微雨。　余馨恼人最苦。染罗衣、少年情绪。漫省佩珠曾解，蕙羞兰妒。好是芳钿翠妩。奈素被浓熏梦无据。待翦秋云，殷勤寄与。

《乐府指迷》谓咏物须有切定本题句，但“龙涎香”无确切之典，故王碧山赋此题，仅以“蟠烟”“蜕月”“海山云气”等映带之。此作首句“烟峤”“云沙”,含有“龙涎”意，以外皆咏“香”。下阕“少年”句、“素被”句与碧山“荀令”“空篝”词意相似，但此调颇工细，虽未与《花外》抗手，亦可接武矣。尚有冯应瑞亦倚此调咏“龙涎香”云：“枯石留痕，残沙拥沫，骊宫夜蛰惊起。海市收时，鲛人分处，误入众芳丛里。春霖未就，都化作、凄凉云气。惟有清寒一点，消磨小窗残醉。　当年翠篝素被。拂余薰、倦怀如水。漫惜舞红犹在，为谁重试。几片金昏字古，向故箧聊将伴憔悴。”词亦殊工。《词综》录之，惜原缺其末二句。

摸鱼儿　莼

怪鲛宫、水晶帘卷，冰痕初断香缕。柔波荡桨人难到，三十六陂烟雨。春又去。伴点点、荷钱隐约吴中路。相思日暮。恨洛浦娉婷，芳钿翠蒴，衣影照凄楚。　功名梦，消得西风一度。高人今在何许。鲈香菰冷斜阳里，多少天涯意绪。谁记取。但枯豉、红盐溜玉凝秋箸。樽前起舞。算惟有渊明，黄花岁晚，此兴共千古。

王碧山赋此题，前半征实，后半课虚。此作虽不甚工切，后半“鲈香”及“盐豉”句却不脱“莼”字，自是经意之作。

前调 莼

过湘皋、碧龙惊起，冰涎犹护鬌影。春洲未有菱歌伴，独占暮烟千顷。呼短艇。试翦取、纤条玉溜青丝莹。樽前细认。似水面新荷，波心半卷，点点翠钿净。　凄凉味，酪乳那堪比并。吴盐一箸秋冷。当时不为鲈鱼去，聊尔动渠归兴。还记省。是几度、西风几处吹愁醒。鸥昏鹭暝。漫换得霜痕，萧萧两鬓，羞与共秋镜。

咏莼较易于龙涎香，作者意有未尽，故再接再厉。上阕较前首体物尤工，喻以新荷半掩，殊肖。以下余波荡漾，句意并到。此二调若尹、邢并美也。

齐天乐　蝉

碧云深锁齐姬恨，纤柯暗翻冰羽。锦瑟重调，绡衣乍着，聊饮人间风露。相逢甚处。记槐影初凉，柳阴新雨。听尽残声，为谁惊起又飞去。　商量秋信最早，晚来吟未彻，都是凄楚。断韵还连，余悲似咽，欲和愁边佳句。幽期与语。怕寒叶凋零，蜕痕尘土。古木斜晖，向人怀抱苦。

咏蝉较咏莼取境为宽，此作虽不及碧山之沉着，而通首皆工切。易简赋“龙涎香”、赋“莼”、赋“蝉”，所倚之调，皆与碧山同，盖意在云龙相逐也。起句宜虚罩全首，此作起笔用齐姬事，不能越“一襟余恨宫魂断”之意。

水龙吟　白莲

翠裳微护冰肌，夜深暗泣瑶台露。芳容淡伫，风神萧散，凌波晚步。西子残妆，环儿初起，未须匀注。看明珰素袜，相逢憔悴，当应被，熏风误。　十里云愁雪妒。抱凄凉、盼娇无语。当时姊妹，朱颜褪酒，红衣按舞。别浦重寻，旧盟惟有，一行鸥鹭。伴玉颜月晓，盈盈冷艳，洗人间暑。

处处不脱本题，咏“白”字而皆有莲花淡逸之致，非泛论白色之花，是其工切处。结句尤超脱。

唐艺孙　二首

天香　龙涎香

螺甲磨星，犀株捣月，蘋英嫩压拖水。海蜃楼高，仙娥钿小，缥缈结成心字。麝煤候暖，载一朵、轻云未起。银叶初生薄晕，金貌旋翻纤指。　芳杯恼人渐醉。碾微馨、凤团闲试。满架舞红都换，懒收珠佩。几片菱花镜里。更摘素双环伴秋睡。早是新凉，重熏翠被。

凡咏物词自以切合为工,而此题无故实可征，只能烘托。此作起笔句研字炼，“海蜃”至“轻云”五句能去题不远，用疏宕之笔，故无滞态。下阕咏试“香”之人，虽于本题稍懈，而语颇雅逸。

齐天乐　蝉

柳风微扇闲池阁，深林翠阴人静。渐理琴丝，谁调金奏，凄咽流空清韵。虹明雨润。正乍集庭柯，凭阑新听。午梦惊回，有人娇困酒初醒。　西轩晚凉又嫩，向枝头占得，银露千顷。蜕翦花轻，翼翻纸薄，老去易惊秋信。残声送暝。恨秦树斜阳，暗催光景。淡月疏桐，半窗留鬓影。

先从闻蝉着想，下阕注意本题，深款有致。虽逊于碧山，而与易简、恕可相伯仲也。

吕同老　三首

水龙吟　白莲

冰肌不污天真，晓来玉立瑶池里。亭亭翠盖，盈盈素靥，时妆净洗。太液波翻，霓裳舞罢，断魂流水。甚依然旧日，浓香淡粉，花不似，人憔悴。　欲唤凌波仙子。泛扁舟、浩波千里。只愁回首，冰奁半掩，明珰乱坠。月影凄迷，露华零落，小阑谁倚。共芳盟犹有，双栖雪鹭，夜寒惊起。

起五句实赋本题。“太液”五句霓裳已远，而花发依然，低回善感。下阕从花谢后为之咏叹，仍着眼本题，无悠泛语。

齐天乐　蝉

绿阴初蔽林塘路，凄凄乍留清韵。倦咽高槐，惊嘶别柳，还忆当时曾听。西窗梦醒。叹弦绝重调，珥空难整。绰约冰绡，夜深谁念露华冷。　不知身世易老，一声声断续，频报秋信。坠叶山明，疏枝月小，惆怅齐姬薄幸。余音未尽。早枯翼飞仙，暗嗟残景。见洗冰奁，怕翻双翠鬓。

审其词意，含有伤离感逝之怀，借蝉声而一泄，其音凄似远，其辞丽而清。

天香　龙涎香

冰片镕肌，水沉换骨，蜿蜒梦断瀛岛。翦碎腥云，杵匀枯沫，妙手制成翻巧。金篝候火，无似有、微熏初好。帘影垂风不动，屏深护春宜小。　残梅舞红褪了。佩珠寒、满怀清峭。几度酒余重省，旧愁多少。荀令风流未减，怎奈向飘零赋情老。待寄相思，仙山路杳。

咏物词大抵皆前半体物，后半寄情，作者亦然。其体物则工细，寄情则依黯，可与李筼房、王理得、唐英发诸作并辔词场。

张炎 六十首

满庭芳 小春

晴皎霜花，晓融冰羽，开帘觉道寒轻。误闻啼鸟，生意又园林。闲了凄凉赋笔，便而今、懒听秋声。消凝处，苔枝借暖，终是未多情。　阳和能几许，寻芳探粉，也恁忺人。笑邻娃痴小，料理护花铃。却怕惊回睡蝶，恐和他、草梦都醒。还知否，能消几日，风雪灞桥深。

起五句赋本题。“赋笔”二句已说到自身。以下纯是借“小春”以砭世，作警刺之辞。“苔枝借暖”，能有几时，“睡蝶”无知，徒惊“草梦”。彼娇小之“邻娃”，眼前贪取“阳和”，未几而漫天“风雪”即相逼而来，意谓遂取新时缨冕，不若还寻旧日斧柯，尚能耐岁寒也。风诗微旨，去人未远。

梅子黄时雨　病中怀归

流水孤村，爱尘事顿消，来访深隐。向醉里谁扶，满身花影。鸥鹭相看如瘦，近来不是伤春病。嗟流景。竹外野桥，犹系烟艇。　谁引。斜川归兴。便啼鹃纵少，无奈时听。待棹击空明，鱼波千顷。弹断琵琶留不住，最愁人是黄昏近。江风紧。一行柳丝吹暝。

题云因“病中怀归”而作，实则因避世而思归，即鸥鹭亦知其不为伤春而病也。醉里扶花，烟中系艇，预想还乡风味，何等萧闲！而心中则冰丝弹罢，怕近黄昏，憔悴柳枝，岂能耐江风之严紧？艰危身世，望衡宇而欣奔，有情不自禁者，处处借景抒怀，殊有手挥目送之妙。

庆春宫

都下寒食，游人甚盛，水边沙际，多丽人小鬟集，以柳圈祓禊而去。

波荡兰觞，邻分杏酪，昼辉冉冉烘晴。罥索飞仙，戏船移景，薄游也自忺人。熏风来处，听隔水、人家卖饧。月题争系，油壁相连，笑语逢迎。　池亭小队秦筝。就地围香，临水湔裙。冶态飘云，醉妆扶玉，未应闲了芳情。旅怀无限，忍不住、低低问春。梨花落尽，一点新愁，曾到西泠。

词中“兰觞”“杏酪”“罥索”“戏船”，隔岸饧箫，池亭筝队，暖风薰处，一片承平欢乐之声。而观其结处“新愁曾到”句，知以上所言，皆追怀往事，此日旅怀惆怅，诉愁无地，只可低问春风。其《祝英台近·重过西湖书所见》云：“漫留一掬相思，待题红叶，奈红叶、更无题处。”与此同感。

长亭怨　有感故居

望花外、小桥流水，门巷愔愔，玉箫声绝。鹤去台空，佩环何处、弄明月。十年前事，愁千折、心情顿别。露粉风香，谁为主、都成消歇。　凄咽。晓窗分袂处，同把带鸳亲结。江空岁晚，更忘了、尊前曾说。恨西风、不庇寒蝉，便扫尽、一林残叶。谢杨柳多情，还有绿阴时节。

此与集中《忆旧游》词同为感念故园而作。但《忆旧游》词谓梁燕归来而垂杨路隔，专为故园而咏，此则专为园中之人而咏。观其上下阕“鹤去台空”“晓窗分袂”等句，非特朱邸春空，且征衫人远，如风林残叶，一扫皆空，垂杨有转绿之时，而罗带无同携之日，王孙末路，亦杜牧重来也。

阮郎归 有怀北游

钿车骄马锦相连。香尘逐管弦。瞥然飞过水秋千。清明寒食天。　花贴贴，柳悬悬。莺房几醉眠。醉中不信有啼鹃。江南二十年。

此为晚年之作。玉田生于宋理宗戊申年，其北游燕蓟，在少壮时，迨至江南，年已四十余矣。其《临江仙》词自注云：“甲寅秋，寓吴，……时余年六十有七。”故此词有“江南二十年”之句。

南浦　春水

波暖绿粼粼，燕飞来、却是苏堤才晓。鱼没浪痕圆，流红去、翻笑东风难扫。荒桥断浦，柳阴撑出扁舟小。回首池塘青欲遍，绝似梦中芳草。　和云流出空山，甚年年净洗，花香不了。新绿乍生时，孤村路、犹忆那回曾到。余情渺渺。茂林觞咏如今悄。前度刘郎从去后，溪上碧桃多少。

《春水》词为玉田盛年所作，以此得名。论其格局，先写景，后言情，意亦犹人。审其全篇过人处，能运思于环中，而传神于象外也。论其字句，上阕言春水浮花，而云“东风难扫”，具见巧思；言春水移舟，而云断涧生波，且自“柳阴撑出”，以写足“春”字。用春草碧色作陪，更用“池塘”诗句以夹写之，皆下语经意处。转头处“和云”六字赋春水之来源，句复倜傥。“花香”二句水流花放，年复一年，喻循环之世变，钱武肃所谓“没了期”也，含意不尽。后路以感旧作结，融情景于一家。结句复以溪桃点缀春水，到底不懈。

水龙吟　白莲

仙人掌上芙蓉，涓涓犹滴金盘露。轻装照水，纤裳玉立，飘飘似舞。几度消凝，满湖烟月，一汀鸥鹭。记小舟夜悄，波明香远，浑不见，花开处。　应是浣纱人妒。褪红衣、被谁轻误。闲情雅淡，冶姿清润，凭娇待语。隔浦相逢，偶然倾盖，似传心素。怕湘皋佩解，绿云十里，卷西风去。

起五句咏本题。“烟月”“鸥鹭”二句虽泛写景物，已隐含白莲静态。“不见花开”句尤为传神之笔。转头处“褪红衣”句辞华就璞，见品格之高。“倾盖”“素心”八字人与花并咏，借用殊巧。结句以湘佩喻白莲，“绿云风卷”，怅彼美之云遥，感哲人之其萎，惟有溯流风而独写耳。

解连环　孤雁

楚江空晚。怅离群万里，恍然惊散。自顾影、欲下寒塘，正沙净草枯，水平天远。写不成书，只寄得、相思一点。叹因循误了，残毡拥雪，故人心眼。　谁怜旅愁荏苒。漫长门夜悄，锦筝弹怨。想伴侣、犹宿芦花，也曾念春前，去程应转。暮雨相呼，怕蓦地、玉关重见。未羞他、双燕归来，画帘半卷。

《孤雁》与《春水》词皆玉田少年擅名之作，晚年无此精湛矣。孔行素称玉田以此词得名，人以“张孤雁”称之。“写不成书”二句写“孤”字入妙，即怀人之作，亦极缠绵幽渺之思，况咏孤雁，人雁双关，允推绝唱。下阕“伴侣”以下数语替孤雁着想，沙岸芦花，念其故侣，空际传情，不让唐人“暮雨相呼疾，寒塘欲下迟”之句。惜喻人事，亦停云之谊、故剑之思也。结句以双燕相形，别饶风致，且自喻贞操也。

探春　雪霁

银浦流云，绿房迎晓，一抹墙腰月淡。暖玉生香，悬冰解冻，碎滴瑶阶如霰。才放些晴意，早瘦了、梅花一半。也知不作花看，东风何事吹散。　摇落似成秋苑。甚酿得春来，怕教春见。野渡舟回，前村门掩，应是不胜清怨。次第寻芳去，灞桥外、蕙香波暖。犹听檐声，看灯人在深院。

“放晴”二句从梅花写雪后余寒，思巧而韵雅。“花看”句言雪本非花，而亦受横风小劫，殆以自喻。下阕“春来”二句言雪尽春归，用笔曲而能达，兼寓“功成身退”之意。后段言雪后之寻芳看灯，由人事写雪霁，情景两得。

高阳台　西湖春感

接叶巢莺，平波卷絮，断桥斜日归船。能几番游，看花又是明年。东风且伴蔷薇住，到蔷薇、春已堪怜。更凄然、万绿西泠，一抹荒烟。　当年燕子知何处，但苔深韦曲，草暗斜川。见说新愁，如今也到鸥边。无心再续笙歌梦，掩重门、浅醉闲眠。莫开帘、怕见飞花，怕听啼鹃。

夏闰庵云：“此词深婉之至，虚实兼到，集中压卷之作。”起二句写春景，工炼而雅。“看花”二句已表出春感。“东风”二句以才人遘末造，即饮香名，已伤迟暮，与残春之蔷薇何异。“凄然”三句与“燕子”四句皆极写其临流凭吊之怀。“新愁”二句怅王孙之路泣，何等蕴藉。“笙歌”以下五句梦断朝班，心甘退谷，本欲以“闲眠浅醉”,送此余生，鹃啼花落，徒恼人怀耳。

扫花游　春饮殊乡，醉余偶赋

嫩寒禁暖，正草色侵衣，野光如洗。去城数里。绕长堤是柳，钓船初舣。小立斜阳，试数花风第几。问春意。待留取断红，心事难寄。　芳信成撚指。甚远客他乡，老怀如此。醉余梦里。尚分明认得，旧时罗绮。可惜空帘，误却归来燕子。胜游地。想依然、断桥流水。

擅胜处在前后阕之末四句，皆用轻笔写出春感，如初写黄庭，恰到好处。结笔言“断桥流水”，风景依稀，而人去帘空，独客重游，若归来燕子，有旧时王谢之思。

前调　高疏寮东野园

烟霞万壑，记曲径寻幽，霁痕初晓。绿窗窈窕。看垂花甃石，就泉通沼。几日不来，一片苍云未扫。自长啸。恨乔木苍凉，都是残照。　碧天秋浩渺。听虚籁泠泠，飞下孤峭。山空翠老。步仙风怕有，采芝人到。野色闲门，芳草不除更好。境深悄。比斜川、又清多少。

“绿窗”以下八句纯写空园秋色。“乔木”句有故家之感。“残照”句有末路之悲，自在言外。下阕“野色”二句草满“闲门”,自甘削迹，明其淡泊之志也。

渡江云　久客山阴，王菊存问余近作，书以寄之

山空天入海，倚楼望极，风急暮潮初。一帘鸠外雨，几处闲田，隔水动春锄。新烟禁柳，想如今、绿到西湖。犹记得、当年深隐，门掩两三株。　愁予。荒洲古溆，断梗疏萍，更飘流何处。空自觉、围羞带减，影怯灯孤。长疑即见桃花面，甚近来、翻笑无书。书纵远，如何梦也都无。

通首警动，无懈可击。前三句写山阴临江风景。以下三句兼状乡居。“隔水动春锄”五字有唐人诗味。“新烟”四句因客里逢春，回思故国。下阕写客怀而兼忆友。夏闰庵评此词云:“宛转关生，情真景真。”此等词与屯田、片玉沆瀣一气，不得谓南宋人不如北宋也。

前调　次赵元甫韵

锦香缭绕地，凉灯挂壁，帘影浪花斜。酒船归去后，转首河桥，那处认纹纱。重盟镜约，还记得、前度秦嘉。惟只有、叶题堪寄，流不到天涯。　惊嗟。十年心事，几曲阑干，想萧娘声价。闲过了、黄昏时候，疏柳啼鸦。浦潮夜涌平沙白，问断鸿、知落谁家。书又远，空江片月芦花。

前半首虽情景并写，尚是闲淡之笔，其经意在后半首，语语含凄婉之音。“浦潮”以下四句寄思空阔，芦花夜月，一片荒寒，愁心更远矣。

声声慢　为高菊涧赋

寒花清事，老圃闲人，相看秋色霏霏。带叶分根，空翠半湿荷衣。沅湘旧愁未减，有黄金、难铸相思。但醉里、把苔笺重谱，不许春知。　聊慰幽怀古意，且频簪短帽，休怨斜晖。采摘无多，一笑竟日忘归。从教护香径小，似东山、还似东篱。待去隐，怕如今、不是晋时。

此咏菊之绝妙好词。以“黄金”句咏黄花，颇新颖。“不许春知”句有“芙蓉生在秋江上，不向东风怨未开”之意。结句虽归去渊明，东篱可采，已非复义熙甲子，言外慨然。

前调　题梦窗自度曲《霜花腴》卷后

烟堤小舫，雨屋深灯，春衫惯染京尘。舞竹歌桃，心事暗恼东邻。浑疑夜窗梦蝶，到如今、犹宿花阴。待唤起，甚江篱摇落，化作秋声。　回首曲终人去，黯消魂忍看，朵朵芳云。润墨空题，惆怅醉魄难醒。独怜水楼赋笔，有斜阳、还怕登临。愁未了，听残莺、啼过柳阴。

《梦窗四稿》，人谓其多有所指。而《锦瑟》之诗，未加笺注。《霜花腴》调中如“烛消人瘦”“兰情稀会”等句，不胜幽抑之怀。玉田题其卷，为他人言愁，未宜着迹。此词精到处，在“梦蝶”二句、“斜阳”三句。“梦蝶”句谓寻芳梦觉，已化秋声，不如留宿花阴，沉酣不醒，有“微生尽恋人间乐，只有襄王忆梦中”诗意。“斜阳”“柳阴”句谓玉田怀友固可，而其辞悲而丽，殆为梦窗空中传恨耶？夏闰庵云：“玉田与诸名流酬唱，皆不苟作。”此词颇有梦窗之意，结语尤胜。

绮罗香　红叶

万里飞霜，千山落木，寒艳不招春妒。枫冷吴江，独客又吟愁句。正船舣、流水孤村，似花绕、斜阳芳树。甚荒沟、一片凄凉，载情不去载愁去。　长安谁问倦旅。羞见衰颜醉酒，飘零如许。漫倚新妆，不入洛阳花谱。为回风、起舞尊前，尽化作、断霞千缕。记阴阴、绿遍江南，夜窗听暗雨。

起三句咏红叶，喻寒不改柯之操，不羡春华。“船舣”二句对语自然，与集中《绮罗香》调“随款步、花密藏春，听私语、柳疏嫌月”同妙，不减梅溪之“临断岸新绿生时，是落红带愁流处”二语。“载情不去”句自是隽咏，用御沟事，是红叶而非落花也。下阕句句咏红叶，而皆自喻身世，超脱而沉着，且直贯至结语，极见力量。结句“绿遍江南”,贞元朝士回首承平，渺如天上矣。

壶中天 夜泛黄河

扬舲万里，笑当年底事，中分南北。须信平生无梦到，却向而今游历。老柳官河，斜阳古道，风定波声息。野人惊问，泛槎何处仙客。　迎面落叶萧萧，水流沙共远，都无行迹。衰草凄迷秋更绿，惟有闲鸥独立。浪挟天浮，山邀云去，银浦横空碧。扣舷歌断，海蟾飞上孤白。

此为集中杰作，豪气横溢，可与放翁、稼轩争席。写渡河风景逼真，起句有南渡时神州分裂之感。“闲鸥独立”句谓匹夫志不可夺。夏闰庵云：“非特苍凉悲壮，且确是渡河而非渡江。”下阕虽写景，而“衰草”“闲鸥”句兼以书感，名句足敌白石。

八声甘州 坐客索赋歌妓桂卿

隔花窥半面，带天香、吹动一身秋。叹行云流水，寒枝夜鹊，杨柳湾头。浪打石城风急，难系莫愁舟。未了笙歌梦，倚棹西州。　重省寻春乐事，奈如今老去，鬓改花羞。指斜阳巷陌，都是旧曾游。凭寄语、采芳俦侣，且不须、容易说风流。争似得、桃根桃叶，明月妆楼。

起句便得神。“天香”句赠桂卿，语殊隽妙。下阕言身亦歌场阅历之人，杜牧风流，非尽人可学，载归桃叶、拥艳姬者，能有几人？下语超脱。结句“明月妆楼”尤见含蕴。

前调

辛卯岁，沈秋江同余北归，秋江处杭，余处越。越岁，秋江来访寂寞，晤语数日，又复别去。赋此饯行，并寄曾心传。　秋江名尧道。

记玉关、踏雪事清游。寒气脆貂裘。遍枯林古道，长河饮马，此意悠悠。短梦依然江表，老泪洒西州。一字无题处，落叶都愁。　载取白云归去，问谁留楚佩，弄影中洲。折芦花赠远，零落一身秋。向寻常、野桥流水，待招来、不是旧沙鸥。空怀感、有斜阳处，却怕登楼。

上阕“短梦”以下四句能用重笔，力透纸背，为《白云词》中所罕有。“折芦花”二句传诵词苑，咸推名句。

前调　次韵李筠房

望涓涓、一水隐芙蓉，几被暮云遮。正凭高送目，西风断雁，残月平沙。未觉丹枫尽老，摇落已堪嗟。无避秋声处，愁满天涯。　一自鸥盟别后，甚酒瓢诗锦，轻误年华。料荷衣初暖，不忍负烟霞。记前度、剪灯一笑，再相逢、知在那人家。空山远、白云休赠，只赠梅花。

纯以静婉之笔，写秋士善怀，恐秋声引愁，闻声敛避，已属可悲，至避无可避，其愁宁有际耶！下阕言烟霞旧约，岂愿轻辜，但云萍纵迹，不知何处飘流？故结笔有“空山白云”句。灯前一笑，愈见其悲也。

真珠帘　梨花

绿房几度迎清晓，光摇动、素月涓涓如水。惆怅一株寒，记东阑闲倚。近日花边无旧雨，便寂寞、何曾吹泪。烛外。漫羞得红妆，而今犹睡。　琪树皎立风前，万尘空独抱，飘然清气。雅淡不成娇，拥玲珑春意。落寞云深诗梦浅，但一似、唐昌宫里。元是。是分明错认，当时玉蕊。

《乐府指迷》云："如咏物须……用一两件事印证方可。如清真咏'梨花'《水龙吟》第三、第四句须用樊川、灵关事，又'深闭门'及'一枝带雨'事，……方表得梨花。若全篇只说花之白，则是凡白花皆可用，如何见得是梨花。"玉田此作，用"东阑一枝雪""寂寞泪阑干""落寞梦中云"等句，隶事雅切，确是梨花，且景中有人在。"玲珑春意"四字描写得神。"烛外"三句言红妆之酣睡，以见梨花之雅淡，故下阕有"雅淡不成娇"句以表之，其有所讽喻耶？

湘月

余载书往来山阴道中，每以事夺，不能尽兴。戊子冬晚，与王中仙、徐绝壁曳舟溪上，天空水寒，古意萧瑟。中仙有词雅丽，绝壁作《晋雪图》，亦清逸可观。余述此词，姜白石鬲指声也。

行行且止。把乾坤收拾，篷窗深里。星散白鸥三四点，数笔横塘秋意。岸觜冲波，篱根受叶，野径通村市。疏风迎面，湿衣元是空翠。　　堪叹敲雪门荒，争棋墅冷，苦竹鸣山鬼。纵使如今犹有晋，无复清游如此。落日沙黄，远天云淡，弄影芦花外。几时归去，剪取一半烟水。

“鸥点”二句写出水乡秋意。“岸觜”二句状村景细确。下阕因《晋雪图》而叹袁安宅废，谢傅庭空，即便晋代犹存，而斯人不作，谁共清游。玉田与中仙皆君国之念甚深，其追怀晋代，亦借古慨今也。

台城路

庚辰会汪菊坡于蓟北，恍然如梦，回忆旧游，已十八年矣。

十年前事翻疑梦，重逢可怜俱老。水国春空，山城岁晚，无语相看一笑。荷衣换了。任京洛尘沙，冷凝风帽。见说吟情，近来不到谢池草。　　欢游曾步翠窈。乱红迷紫曲，芳意多少。舞扇招凉，歌桡唤玉，犹忆钱塘苏小。无端暗恼。又几度留连，燕昏莺晓。回首妆楼，甚时重去好。

起二句情真而笔透，自是高格。以下述老来境遇，虽山水依然，而春空岁晚，浪游蓟北，素衣已化缁尘，能不吟情冷落耶？十八年往事，潮上心头，惟有付之一笑。下阕临安回首，家国苍凉，偶忆及钱塘苏小，聊作闲情之赋耳。

琐窗寒

王碧山又号中仙，越人也。其诗清峭，其词娴雅，有姜白石意趣，今绝响矣。余悼之玉笥山，长歌之急，甚于哀恸。

断碧分山，空帘剩月，故人天外。香留酒殢，胡蝶一生花里。想如今、醉魂未醒，夜台梦语秋声碎。自中仙去后，诗笺赋笔，便无情致。　都是。凄凉意。怅玉笥埋云，锦袍归水。形容憔悴。料应也、孤吟山鬼。那知人、弹折素琴，黄金铸出相思泪。但柳枝、门掩枯阴，候蛩啼暗苇。

玉田与碧山在浙中词苑齐名，交谊至笃，故词极沉痛。首句分用“碧山”二字，兼有悼逝意。秋声碎梦，盼残魄之归来；山鬼披萝，想孤吟之念我，真长歌之悲也。垂老有牙琴之感者，诵此词为之不怡中夜。

忆旧游

新朋故侣，醉酒迟留，吴山纵横，渺兮余怀。

记开帘过酒，隔水悬灯，款语梅边。未了清游兴，又飘然独去，何处山川。淡风暗收榆荚，吹下沈郎钱。叹客里光阴，消磨艳冶，都在尊前。　留连。殢人处，是鉴曲窥莺，兰沼围泉。醉拂珊瑚树，写百年幽恨，分付吟笺。故园几回飞梦，江雨夜凉船。纵忘却归期，千山未必无杜鹃。

原题云："新朋故侣，醉酒迟留。"未言所赠何人，盖怀友兼怀乡而作。"淡风榆钱"句写春尽，语颇清新。"客里光阴"三句包含多少情怀，颇似《片玉词》。下阕"故园"二句有远韵。结句意谓耕山钓水，未必无箕颍其人，故取喻杜鹃，而自叹迟留也。

前调　登越中蓬莱阁

问蓬莱何处，风月依然，万里江清。休说神仙事，便神仙纵有，即是闲人。笑我几番醒醉，石磴扫松阴。甚狂客难招，采芳难赠，且自微吟。　俯仰成陈迹，叹百年谁在，阑槛孤凭。海日生残夜，看卧龙和梦，飞入秋暝。还听水声东去，山冷不生云。正极目空寒，萧萧汉柏愁茂陵。

蓬莱阁为越中胜地，宋季词客登临，每有题咏。上阕因阁名取“谪居犹得住蓬莱”诗意，故言在松石间醉歌闲放，即无异谪仙，但独行无侣，撄心之痛，只有“微吟”。下阕因其结笔“汉柏茂陵”句，有六陵冬青之感，知其后半阕皆君国之思。蓬莱阁在绍兴郡治，非如岱顶韬光，可观日出，其言“海日”者，以“日”喻君象，以“残夜”喻时当末造，以“龙入秋暝”喻鼎湖之龙去，以“水声东去”喻颓运之难回。“山冷不生云”句言一旅兴邦，更无余望，哀莫大于心死，犹空山之不复生云，诚哀思之音也。转头处“俯仰”二字与他阕平声异。

前调　过邻家，望故园有感

记凝妆倚扇，笑眼窥帘，曾款芳尊。步屟交枝径，引生香不断，流水中分。忘了牡丹名字，和露拨花根。甚杜牧重来，买栽无地，都是消魂。　空存。断肠草，伴几折眉痕，几点啼痕。镜里芙蓉老，问如今何处，绾绿梳云。怕有旧时归燕，犹自识黄昏。待说与羁愁，遥知路隔杨柳门。

张循王故宅在临安，擅池台花木之胜。玉田在邻家，遥望故园，回思当日牡丹亭畔歌筵盛况，旧主重来，望庐思人，不尽家国沧桑之感。燕归已近黄昏，犹人归已经易世，而垂杨路隔，等燕子之无家，宜其长言咏叹也。

前调

余与赵元父一别四载，癸巳春，见之古杭，鬓苍颜改，心事顾却，以余之况味，有于元父甚者，因歌此曲。

叹江潭树老，杜曲门荒，同赋飘零。乍见翻疑梦，对萧萧短发，都是愁根。秉烛故人归后，花月锁春深。纵草带堪题，争如片叶，能寄殷勤。　重寻。已无处，尚忆得依稀，柳下东邻。伫立香风外，抱孤愁凄惋，羞燕惭莺。俯仰十年前事，醉语醒还惊。又晓日千峰，涓涓露湿花气生。

玉田与赵元父重遇于杭州，年老途穷，两人况味相似。上阕历叙身世同悲，殷勤赠句。下阕尤为沉郁。“羞燕惭莺”句盖自愧回天无力，空有惊座之狂谈。醒后晓起，看日照千峰，露浓花发，世间已换一番新气，谁顾江潭残客耶？

探芳信　次周草窗韵

坐清昼。正冶思萦花，余酲倦酒。甚采芳人老，丹心尚如旧。消魂忍说铜驼事，不是因春瘦。向西园，竹扫颓垣，蔓罗荒甃。　风雨夜来骤。叹歌冷莺帘，恨凝蛾岫。愁到今年，都似去年否。赋情懒听山阳笛，目极空搔首。我何堪、老却江潭汉柳。

唐末五代遗民，行歌禾黍，辄托诸美人香草，虽茹檗饮冰，而其辞则乱，良足伤矣。玉田和草窗《西湖春感》词，则“丹心如旧，忍说铜驼”等句，皆情见乎词，以抒忠爱。和“瘦”字韵与草窗同工。和“柳”字韵草窗有恋阙之忱，玉田有摇落之感，皆长歌之哀也。

浣溪沙

犀押帘栊小院深。杨花昼扑帐愔愔。梦回孤蝶弄春阴。

乍见楚衣收带眼，初匀商鼎熨香心。燕归摇动护花铃。

写闺怨而无迹可寻，仅于“孤蝶”及“收带眼”五字略露本意。后阕娟楚而含凄韵，如掩抑冰丝，弹怨入落花深处也。

疏影

柳黄未结。放嫩晴消尽，断桥残雪。隔水人家，浑是花阴，曾醉好春时节。轻车几度长堤晓，想如今、燕莺犹说。纵艳游、得似当年，早是旧情都别。　重到翻疑梦醒，弄泉试照影，惊见华发。却笑归来，石老云荒，身世飘然一叶。闲门约住青山色，目容与、吟窗清绝。怕夜寒、吹到梅花，休卷半帘明月。

玉田虽系出朱邸，遭逢不偶，遗行不少概见。于庚寅年自燕、赵北归，辛卯至杭州，襟怀淡泊，将以肥遁终身，可于此词见之。重至西湖访旧，时年近五十，故有“惊见华发”句。抚今追昔，于上、下阕分咏之。莺燕好春，怅堕欢之难拾；闲门山色，愿终老于是乡。结句“恐寒到梅花”虑身世之孤危，与“愁到鸥边”句同感也。

庆清朝

韩亦颜归隐两水之滨，殆未逊王右丞辛夷汫。余亦从之游，散发吟眺，一任所适，盘花旋竹，至暮始归。自太白去后三百年，无此乐也。宁复易得耶！

浅草犹霜，融泥未燕，晴梢润叶初干。闲扶短策，寻幽小叙清欢。错认篱根是雪，梅花过了一番寒。风还峭，较迟芳信，恰似春残。　此境此时此意，待携琴独去，石冷慵弹。飘飘爽气，飞鸟相与俱还。醉里不知何处，好诗尽在夕阳山。山深杳，更无人到，流水花间。

此词以上下阕之后段为精。落梅误雪及“春残”句，见词心之清妙。结处“夕阳山”七字，可称名句。“山深杳”三句极超脱。惟第二句“燕”字，似觉未稳。

疏影　梅影

黄昏片月。似碎阴满地，还更清绝。枝北枝南，疑有疑无，几度背灯难折。依稀倩女离魂处，缓步出、前村时节。看夜深、竹外横斜，应妒过云明灭。　窥镜蛾眉淡扫，为容不在貌，独抱孤洁。莫是花光，描取春魂，不怕丽谯吹彻。还惊海上燃犀去，照海底、珊瑚疑活。做弄得、酒醒天寒，空对一庭香雪。

前半虽句句赋"梅影"，而犹着迹象，意所易到，不若后阕"花光"以下七句从空际传神，见灵心妙腕也。

声声慢

己亥岁，自台回杭。雁旅数月，复起归兴。余冉冉老矣，谁能重写卧游编否。

穿花省路，傍竹寻邻，如何故隐都荒。问取堤边，因甚减却垂杨。消磨纵然未尽，满烟波、添了斜阳。空太息，又翻成无限，杜老凄凉。　一舸清风何处，把秦山晋水，分贮诗囊。兴已飘萧，休问岁晚空江。松陵试招旧雨，怕白鸥、犹识清狂。渐溯远，望并州、却是故乡。

“垂杨”四句含意甚多，论字面柳少则夕阳自多，写景颇确；论取喻则老成虽仅有存者，新进却乘时竞起。但原题云：“自台回杭，……冉冉老矣。”则“垂杨”句当是嗟老之意。言来日渐减，则老态日多，等于柳岸之斜阳也。下阕“秦山晋水”及“并州”等句，玉田以西秦凤翔人随宦临安，而年少时流寓北方颇久，故结句用“却望并州是故乡”诗意，浮屠桑下，未能忘情也。

长亭怨

岁庚寅，会吴菊泉于燕蓟。越八年，再会于甬东。未几别去，将复之北，遂作此曲。

记横笛、玉关高处。万里沙寒，雪深无路。破却貂裘，远游归后、与谁谱。故人何许，浑忘了、江南旧雨。不拟重逢，应笑我、飘零如羽。　　同去。钓珊瑚海树，底事便成行旅。烟篷断浦，更几点、恋人飞絮。如今又、京国寻春，定应被、薇花留住。且莫把孤愁，说与当时歌舞。

此词于送友之交情及一身之沦落，于上阕结句及后阕见之。“重逢”二句言故人久别，满拟同致青云，而飘零依旧。转头处三句言会少离多，又将别去。“烟篷”二句写别时况味，情景兼至。后言此行遇合，当比我差强，勿道及江南残客，使五陵裘马笑人也。

西子妆

吴梦窗自制此曲。余喜其声调婉雅，久欲效而未能。甲午春寓罗江，陈文卿闲行江上，景况离离，因填此词。惜旧谱零落，不能倚声而歌也。

白浪摇天，清阴涨地，一片野情幽意。杨花点点是春心，替风前、万花吹泪。遥岑寸碧，有谁看、朝来清气。自沉吟，甚流光轻掷，繁华如此。　斜阳外。隐约孤村，隔坞闲门闭。渔舟何似莫归来，想桃源、路通人世。危桥静倚。千年事、都消一醉。漫依依、愁落鹃声万里。

四五句既言杨花“是春心”，又言替花“吹泪”，可谓思入幽玄。与“不是杨花，点点是离人泪”同为妙咏。“遥岑”二句西山致有爽气，而朝来相赏无人，与轻掷光阴者，同其辜负。下阕言绝好斜日渔村，而扁舟不返，殆已入桃源，或其时有招隐而不归者，藉此寄讽。结句谓乡心万里，愁听鹃声，不如一醉都忘，安问千百年尔许事耶？“遥岑寸碧”句，四印斋本注云：“‘碧’字借叶，方彼切。”非失韵也。周稚圭选改作“残山剩水”；非是。

春从天上来

自东越还西湖，饮董昌士书楼。

海上回槎。念旧时鸥鹭，犹恋蒹葭。影散香消，水流云在，疏树十里寒沙。难问钱塘苏小，都不见、擘竹分茶。更堪嗟。问荻花江上，谁弄琵琶。　烟霞。自延晚照，尽换了西林，窈窕纹纱。胡蝶飞来，不知是梦，犹疑春在邻家。一掬幽怀难写，春何处、春已天涯。减繁华。漫愁杜宇，莫是杨花。

故国重来，旧人云散。上阕至“纹纱”句历历叙之。“胡蝶飞来”以下八句，是春是梦，一片迷离幽怨。家国苍凉之感，合并其中。春自无情，人自伤情，勿错怨杨花、杜宇也。

八声甘州

陈文叔与余别十载，余东还，文叔北归，聚首于杭，况味相对寥落，遂述此词。更十年后视之，又当何如耶？

记当年、紫曲戏分花，帘影最深深。听惺忪语笑，香寻古字，谱掐新声。散尽黄金歌舞，那处着春情。梦醒方知梦，梦岂无凭。　几点别余清泪，尽化作妆楼，断雨残云。指梢头旧恨，豆蔻结同心。都休问、北来南去，但依依、同是可怜人。还飘泊，何时尊酒，却说如今。

画帘语笑，处处春情，但皆藉黄金之力，金尽安有春情，乃阅历之谈。明知是梦，而梦实有凭,笔意曲而能达。下阕“别泪”三句凄清而艳雅。但此为送友而作，观“同是可怜人”句，则“残云断雨”，皆属寓言，上阕既云春情无着，安有红巾别泪耶？结句盼尊酒重逢，即唐人“巴山话雨”之意。

探春　己亥岁晚客吴中作

列屋烘炉，深门响竹，催残客里时序。投老情怀，薄游滋味，消得几多凄楚。听雁听风雨，更听过、数声柔橹。暗将一点归心，细把乡书分付。　试问西楼在否。休忘了盈盈，端正窥户。帘卸蟾冰，柳萦蛾雪，次第满城箫鼓。闲见谁家月，浑不记、旧游何处。伴我微吟，恰有梅花一树。

前六句写吴下岁除景物，藉遣客怀。“听雁”二句叠用三“听”字，表独客先闻之况。而旅居能闻橹声，尤确肖吴中临水人家。下阕“谁家月”三句重访旧游，依微若梦，今宵明月，知照谁家，向空处寄情。玉溪生所谓相思无益、“未妨惆怅”也。结句言前欢既渺，幸有梅花作伴，为岁寒良友，聊自慰耳。

台城路　抵吴中书寄旧友

分明柳上春风眼，曾见少年人老。雁拂黄沙，天垂碧海，野艇谁家昏晓。惊心梦觉。漫慷慨悲歌，赋归不早。想得相如，此生终是倦游了。　　经行几度怨别，酒痕消未尽，空被花恼。茂苑重来，竹溪深隐，还胜飘零多少。羁怀顿扫。尚识得妆楼，那回苏小。寄语盟鸥，问春何处好。

上阕前、后四句颇有味，谓换尽春游裙屐，惟柳垂青眼，历历见之，己亦柳眼中当时年少之人，安得不年老倦游？下阕“茂苑”句以下，谓藉吴中佳地，稍慰客怀，但旧妆楼，依稀门巷，同游之故侣凋零，只可招沙上闲鸥，寻消问息耳。

渡江云　客中寒食写兴

江山居未定，貂裘已敝，空自带愁归。乱水流花外，访里寻邻，都是可怜时。桥边燕子，似软语、斜日江蓠。休问我、如今心事，错认镜中谁。　　还思。新烟惊扰，旧雨难招，做不成春意。浑未省、谁家芳草，犹梦吟诗。一株古柳观渔港，傍清凉、足可幽栖。闲趣好，白鸥尚识天随。

此作与《台城路》词意相似，皆善写重游情况。玉田生平踪迹，历燕蓟、天台、明州、山阴、义兴等处，而于吴中尤所恋恋。此调前六句不过自述，“桥边”以下四句及后阕，追忆前游，极闲婉之致。“芳草”“燕子”等句皆在空际回旋。“谁家芳草”即《台城路》“尚识得妆楼”之意；白鸥闲趣，即“寄语盟鸥”之意，“错认镜中”句形容非昔，如屈子之“行吟泽畔”也。

月下笛　寄仇山村

千里行秋，支筇背锦，顿怀清友。殊乡聚首。爱吟犹自诗瘦。山人不解思猿鹤，笑问我、韦娘在否。记西湖画舸，花柔春闹，几番携手。　别后。都依旧。但靖节门前，近来无柳。盟鸥尚有。可怜西塞渔叟。断肠不恨江南老，恨落叶、飘零最久。倦游处、减羁愁，犹未消磨是酒。

同为衰世遁迹之人，乃不问猿鹤，而问当日之韦娘，且忆及“花柔春闹”，仇山村当是至友，故以谐笑出之。下阕叙别后近况，衰老本无可避，所恨者老年长此飘零，羁愁莫遣，仅藉酒遣之，烟尘长望，向故友一诉其不平耳。

新雁过妆楼

乙巳菊日，寓溧阳，闻雁声，因动脊令之感。

遍插茱萸。人何处、客里顿懒携壶。雁影涵秋，绝似暮雨相呼。料得曾留堤上月，旧家伴侣有书无。渺愁余。数声怨抑，翻致无书。　谁识飘零万里，更可怜倦翼，同此江湖。饮啄关心，知是近日何如。陶潜尚存菊径，最堪羡、松风陶隐居。沙汀冷，拣寒枝不似，烟水寒芦。

前半平淡之笔，其作意在后半阕，人与雁合写，语悲而情真。结句用东坡“拣尽寒枝不肯栖，寂寞沙洲冷”词意，回首乡山，秦云万里，弟兄同感飘零，况听相呼暮雨声耶？

南楼令　送黄一峰游灵隐

重整旧渔蓑。江湖风雨多。好襟怀、近日消磨。流水桃花随处有，终不似，隐烟萝。　南浦又渔歌。桃云泛远波。想孤山、山下经过。见说梅花都老尽，凭为问，是如何。

风尘澒洞，固应归隐烟萝，但一舸江湖，尚愁风雨，须预整渔蓑，其情更苦，下阙虽高洁如梅花，亦复老尽，犹新愁也到鸥边。“为问如何”句问何以劫到梅花，则滔滔浊世，更无招隐地矣。

四字令

莺吟翠屏。香吹絮云。东风也怕飘零。带飞花赶春。
邻娃笑声。嬉游趁晴。明朝何处相寻。那人家柳阴。

词人送春之意，数见不鲜，而风亦赶春，此意无人道及。下阙之意，其如陈思王惊艳耶？或谓春尽花飞，而邻娃依然嬉笑，若商女之不知恨耶？

醉落魄

柳侵阑角。画帘风软香红落。引人胡蝶翻轻薄。已自关情，和梦近来恶。　眉梢轻把闲愁着。如今愁重眉梢弱。双眉不画愁消却。不道愁痕，来傍眼边觉。

下阕五句重叠写愁，如剥茧抽丝，词心与愁心皆相引而弥长，一线盘旋，为小令中别成一格。

前调　题赵霞谷所藏《梦窗词》卷

镂花镌叶。满枝风露和香撷。引将芳思归吟箧。梦与魂消，闲了弄香蝶。　小楼帘卷歌声歇。幽篁独处泉呜咽。锦笺空在愁难说。霜角寒梅，吹碎半江月。

“镂花”二句言梦窗词之工妙。“梦与魂消”句写人琴之感。结处承“锦笺”句，言词境清高，若寒梅霜月而写足凄凉之景，兼有凭吊之思。

清平乐

候蛩凄断。人语西风岸。月落沙平流水漫。惊见芦花来雁。　暗教愁损兰成。可怜夜夜关情。只有一枝梧叶，不知多少秋声。

"梧叶"十二字如絮浮水，如露滴荷，虽沾而非着，词中胜境，妙手偶得之。欧阳公赋"秋声"，从广大处落笔，此从精微处着想，皆极文词之能事。

虞美人

余昔赋柳儿词，今有杜牧重来之叹。刘梦得诗云："春尽絮飞留不得，随风好去落谁家。"作忆柳曲。

修眉刷翠春痕聚。难剪愁来处。断丝无力绾韶华。也学落红流水到天涯。　那回错认章台下。却是阳关也。待将新恨趁杨花。不识相思一点在谁家。

此曲以"断丝"二句最耐吟讽。玉田虽以杜牧自况，而"断丝"二句兼有身世飘摇之感，与《国香》调之"相看两流落"句相似。

红情　荷花

无边香色。记涉江自采，锦机云密。翦翦红衣，学舞波心旧曾识。一见依然似语，流水远、几回空忆。动倒影、取次窥妆，玉润露痕湿。　　闲立。翠屏侧。爱向人弄芳，背酣斜日。料应太液。三十六宫土花碧。清兴凌风更爽，正无数、满汀如昔。泛片叶、烟波里，卧横紫笛。

此调上阕之“一见依然”二句、下阕之“料应太液”二句见作意，余近平弱。夏闰庵评云：“与姜白石赋梅，同一寄托而不如白石。彼是忧危语,此是凭吊语，亦时为之也。”起笔“无边香色”四字与咏“荷叶”之起句均佳。

绿意　荷叶

碧圆自洁。向浅洲远渚，亭亭清绝。犹有遗簪，不展秋心，能卷几多炎热。鸳鸯密语同倾盖，且莫与、浣纱人说。恐怨歌、忽断花风，碎却翠云千叠。　　回首当年汉舞，怕飞去漫绉，留仙裙折。恋恋青衫，犹染枯香，还叹鬓丝飘雪。盘心清露如铅水，又一夜、西风吹折。喜静看、匹练秋光，倒泻半湖明月。

赋“荷叶”胜于赋花，层折较多，分五、六层意，次第写出，且句亦矜炼，结句尤见清超。

国香

沈梅娇，杭妓也，忽于燕蓟见之，把酒相劳苦，犹能歌周清真《意难忘》《台城路》二阕，因属余记其事。词成，以素罗帨书之。

莺柳烟堤。记未吟青子，曾比红儿。懒娇弄春微透，鬟翠双垂。不道留仙不住，便无梦、吹到南枝。相看两流落，掩面凝羞，怕说当时。　凄凉歌楚调，嫋余音不放，一朵云飞。丁香枝上，几度款语深期。拜了花梢淡月，最难忘、弄影牵衣。无端动人处，过了黄昏，犹道休归。

上阕“留仙”以下五句同是沦落，有“江州司马”之思。结处“黄昏”二句有“城上已三更，……不如休去”之意。观“拜月”二句，其人当颇风雅，想见翠袖支颐，红牙按拍，宜玉田眷恋也。

新雁过妆楼　菊花

风雨不来，深院悄、清事正满东篱。杖藜重到，秋风冉冉吹衣。瘦碧飘萧摇露梗。腻黄秀野拂霜枝。忆芳时。翠微唤酒，江雁初飞。　　湘潭无人吊古，叹落寞自采，谁寄相思。淡泊生涯，聊伴老圃斜晖。寒香应遍故里，想鹤怨、山空人未归。归何晚，问径松不语，只有花知。

上阕《忆芳时》三句之写景，与下阕“淡泊生涯”四句之言情，皆疏宕而有远韵，绝无咏菊陈言，可称逸品。

念奴娇

绕枝倦鹊，鬓萧萧、肯信如今犹客。风雪客衣寒叶补，一点灯花悬壁。万里舟车，十年书剑，此意青天识。泛然身世，故家休问清白。　　却笑醉倒山翁，石床飞梦，不入槐安国。只恐溪山游未了，莫叹飘零南北。滚滚江横，呜呜歌罢，渺渺情何极。正无聊赖，天风吹下孤笛。

此调共赋两首，此为次首，较第一首为精湛。笔势挺健，浩气流转，有“叩舷长啸”“万象宾客”之概。高迴如白石，雄慨似东坡，与咏“春水”“孤雁”及《西湖春感》等皆集中名作。

霜叶飞　毗陵宅中闻老妓歌

绣屏开了。惊诗梦，娇莺啼破春悄。稳将谱字转清圆，正杏梁声绕。看帖帖、蛾眉淡扫。不知能聚愁多少。叹客里凄凉，尚记得、当年雅音，低唱还好。　　同是落殊乡，相逢何晚，坐对真被花恼。贞元朝士已无多，但荒烟衰草。未忘得、春风窈窕。却怜张绪如今老。且慰我、留连意，莫说西湖，那时苏小。

玉田满怀禾黍之悲，闻老妓歌，有触即发，如闻龟年琵琶，重谈天宝；敬亭檀板，犹说宁南。上阕“蛾眉”二句及后“贞元朝士”四句尤为凄怆动人。

清平乐

采芳人杳。顿觉游情少。客里看春多草草。总被诗愁分了。　　去年燕子天涯。今年燕子谁家。三月休听夜雨，如今不是催花。

羁泊之怀，托诸燕子；易代之悲，托诸夜雨，深人无浅语也。

朝中措

清明时节雨声哗。潮拥渡头沙。翻被梨花冷看，人生苦恋天涯。　燕帘莺户，云窗雾阁，酒醒啼鸦。折得一枝杨柳，归来插向谁家。

司马周南留滞，贻笑梨花；幼安辽海无家，空攀杨柳，是善于怨悱者。

甘州　饯周草窗西归

记天风飞佩紫霞边，顾曲万花深。怪相如游倦，杜陵愁老，还叹飘零。短梦恍然今昔，故国十年心。回首三三径，松竹成阴。　不恨片帆南浦，只恨翦灯听雨，谁伴孤吟。料瘦筇归后，闲锁北山云。是几番、柳边行色，是几番、同醉古园林。烟波远、笔床茶灶，何处逢君。

此首集中未载，从《绝妙好词》补录。上阕虽述怀，而“今昔”“故国”二句与草窗同感。下阕皆录别，两用“几番”句，想见交谊深久。夏闰庵云：“此与其下《月下笛》一首皆浑成透剔，渣滓全净，玉田胜处。”

月下笛

孤游万竹山中、闲门落叶，愁思黯然，因动《黍离》之感。时寓甬东积翠山舍。

万里孤云，清游渐远，故人何处。寒窗梦里，犹记经行旧时路。连昌约略无多柳，第一是、难听夜雨。漫惊回凄悄，相看烛影，拥衾谁语。　张绪。归何暮。半零落依依，断桥幽鹭。天涯倦旅。此时心事良苦。只愁重洒西州泪，问杜曲、人家在否。恐翠袖、正天寒，犹倚梅花那树。

此词从《词综》补录。玉田词每隐寓君国之思，此则明言《黍离》之感，抚连昌杨柳，访杜曲门庭，亡国失家之痛，并集于怀矣。《山中白云词》旧刻为一百五十首，后人搜辑，复得一百七首，《绝妙好词》选玉田词三首，张皋文选一首，董毅续选二十三首，今选释得六十首，爱玉田词首，可得其大概矣。〇佳句尚多，附录于后。《思佳客》：“铜驼烟雨栖芳草，休向江南问故家。”《声声慢》：“白鸥更闲似我，趁平芜、飞过斜阳。”《谒金门》：“忽见旧巢还是错。燕归何处着。”《壶中天》：“故国荒城，斜阳古道，可奈花狼藉。”《甘州》：“几消凝、此图谁画，细看来、元不是终南。无心好，休教出岫，只在深山。”《声声慢》：“知鱼淡然自乐，钓清名、空在丝纶。笑未已，笑严陵、还笑渭滨。”《瑶台聚八仙》：“玄真子，共游烟水，人月俱高。”《台城路》：“当年不信江湖老，如今岁华惊晚。路改家迷，花空荫落、谁识重来刘阮。”《风入松》：“今朝准拟花前醉，奈今宵、别是光阴。”《唐多令》：“欲趁桃花流水去，又却怕、有风波。”《鹧鸪天》：“夜来折得江头柳，不是苏堤也皱眉。”《清平乐》：“莫趁春风飞去，玉关夜雪犹深。”《玉漏迟》：“寒木犹悬故叶，又过了、一番残照。”《齐天乐》：“屋破容秋，床空对雨，迷却青门瓜圃。”《念奴娇》：“琴剑空随身万里，天地谁非行客。”《一萼红·周草窗新居》：“好襟怀、初不要人知。”〇玉田与姜白石齐名，世有姜张之目。郑所南谓玉田“三十年汗漫南北数千里，……仰攀姜尧章、史邦卿、卢蒲江、吴梦窗诸名胜，互相鼓吹春声于繁华世界……能令后三十年西湖锦绣山水，犹生清响”。仇山村谓其“意度超玄，律吕协洽”。舒阆风谓其“诗有姜尧章深婉之风，词有周清真雅丽之思，画有赵子固潇洒之意，未脱承平公子故态”。光绪间王鹏运校刻其集，亦推许甚至。

王炎午　一首

沁园春

又是年时，杏红欲吐，柳绿初芽。奈寻春步远，马嘶湖曲，卖花声过，人唱窗纱。暖日晴烟，轻衣罗扇，看遍王孙七宝车。谁知道，十年魂梦，风雨天涯。　休休何必伤嗟。漫赢得、青青两鬓华。且不知门外，桃花何代，不知江左，燕子谁家。世事无情，天公有意，岁岁东风岁岁花。拚一笑，且醒来杯酒，醉后杯茶。

前八句纯写春景，句颇明秀。以“风雨天涯”二句归到本意，则历历春痕，都成惆怅。下阕皆作超悟语，而其心弥苦。炎午曾为文信国作生祭文，盖志节之士，宜悲之深也。

胡浩然　一首

传言玉女

一夜东风，不见柳梢残雪。御楼烟暖，对鳌山彩结。箫鼓向晚，凤辇初回宫阙。千门灯火，九逵风月。　绣阁人人，乍嬉游、困又歇。艳妆初试，把珠帘半揭。娇羞向人，手撚玉梅低说。相逢长是，上元时节。

见本意处在结句，以珠帘绣阁中人，而每值上元，辄相邂逅，即此一端，可见京都灯节之盛，丽人之多，画鳞爪而全龙若见，不仅描写绮情也。〇按此词一作晁冲之词。

国家新闻出版广电总局
首届向全国推荐中华优秀传统文化普及图书

‖大家小书书目

经典常谈	朱自清 著
语言与文化	罗常培 著
习坎庸言校正	罗 庸 著 杜志勇 校注
鸭池十讲（增订本）	罗 庸 著 杜志勇 编订
古代汉语常识	王 力 著
国学概论新编	谭正璧 编著
文言尺牍入门	谭正璧 著
日用交谊尺牍	谭正璧 著
敦煌学概论	姜亮夫 著
训诂简论	陆宗达 著
金石丛话	施蛰存 著
常识	周有光 著 叶 芳 编
文言津逮	张中行 著
中国字典史略	刘叶秋 著

古典目录学浅说	来新夏　著
闲谈写对联	白化文　著
怎样使用标点符号（增订本）	苏培成　著

诗境浅说	俞陛云　著
唐五代词境浅说	俞陛云　著
北宋词境浅说	俞陛云　著
南宋词境浅说	俞陛云　著
人间词话新注	王国维　著　滕咸惠　校注
苏辛词说	顾　随　著　陈　均　校
诗论	朱光潜　著
唐诗杂论	闻一多　著
诗词格律概要	王　力　著
唐宋词欣赏	夏承焘　著
槐屋古诗说	俞平伯　著
词学十讲	龙榆生　著
词曲概论	龙榆生　著
中国古典诗歌讲稿	浦江清　著
	浦汉明　彭书麟　整理

唐人绝句启蒙	李霁野　著
唐宋词启蒙	李霁野　著
古典文学略述	王季思　著　王兆凯　编
古典戏曲略说	王季思　著　王兆凯　编
唐宋词概说	吴世昌　著
宋词赏析	沈祖棻　著
道教徒的诗人李白及其痛苦	李长之　著
闲坐说诗经	金性尧　著
陶渊明批评	萧望卿　著
舒芜说诗	舒　芜　著
名篇词例选说	叶嘉莹　著
唐诗纵横谈	周勋初　著
楚辞讲座	汤炳正　著 汤序波　汤文瑞　整理
好诗不厌百回读	袁行霈　著
山水有清音 ——古代山水田园诗鉴要	葛晓音　著

门外文谈	鲁　迅　著
我的杂学	周作人　著　张丽华　编
论雅俗共赏	朱自清　著
文学概论讲义	老　舍　著
中国文学史导论	罗　庸　著　杜志勇　辑校
给少男少女	李霁野　著
鲁迅批判	李长之　著
英美现代诗谈	王佐良　著　董伯韬　编
三国谈心录	金性尧　著
夜阑话韩柳	金性尧　著
英语学习	李赋宁　著
漫谈西方文学	李赋宁　著
历代笔记概述	刘叶秋　著
笔祸史谈丛	黄　裳　著
古典诗文述略	吴小如　著
有琴一张	资中筠　著
鲁迅作品细读	钱理群　著
唐宋八大家 ——古代散文的典范	葛晓音　选译

红楼梦考证	胡　适　著
《水浒传》与中国社会	萨孟武　著
《西游记》与中国古代政治	萨孟武　著
《红楼梦》与中国旧家庭	萨孟武　著
《金瓶梅》人物	孟　超　著　张光宇　绘
水泊梁山英雄谱	孟　超　著　张光宇　绘
《红楼梦》探源	吴世昌　著
《西游记》漫话	林　庚　著
细说红楼	周绍良　著
红楼小讲	周汝昌　著　周伦玲　整理
曹雪芹的故事	周汝昌　著　周伦玲　整理
古典小说漫稿	吴小如　著
三生石上旧精魂 ——中国古代小说与宗教	白化文　著
《金瓶梅》十二讲	宁宗一　著
古体小说论要	程毅中　著
近体小说论要	程毅中　著
文学的阅读	洪子诚　著
中国戏曲	么书仪　著

中国史学入门	顾颉刚　著　何启君　整理
秦汉的方士与儒生	顾颉刚　著
三国史话	吕思勉　著
史学要论	李大钊　著
中国近代史	蒋廷黻　著
民族与古代中国史	傅斯年　著
五谷史话	万国鼎　著　徐定懿　编
民族文话	郑振铎　著
史料与史学	翦伯赞　著
唐代社会概略	黄现璠　著
清史简述	郑天挺　著
两汉社会生活概述	谢国桢　著
中国文化与中国的兵	雷海宗　著
两宋史纲	张荫麟　著
明史简述	吴　晗　著
北宋政治改革家王安石	邓广铭　著
从紫禁城到故宫——营建、艺术、史事	单士元　著
史学遗产六讲	白寿彝　著

司马迁之人格与风格	李长之　著
司马迁	季镇淮　著
唐王朝的崛起与兴盛	汪　篯　著
二千年间	胡　绳　著
论三国人物	方诗铭　著
考古发现与中西文化交流	宿　白　著
中国古代国家的历史特征	张传玺　著
艺术、神话与祭祀	张光直　著 刘　静　乌鲁木加甫　译
中国古代衣食住行	许嘉璐　著
中国古代史学十讲	瞿林东　著
黄宾虹论画	黄宾虹　著
中国绘画史	陈师曾　著
和青年朋友谈书法	沈尹默　著
中国画法研究	吕凤子　著
桥梁史话	茅以升　著
中国戏剧史讲座	周贻白　著
俞平伯说昆曲	俞平伯　著　陈　均　编

新建筑与流派	童　寯　著
论园	童　寯　著
拙匠随笔	梁思成　著　林　洙　编
中国建筑艺术	梁思成　著　林　洙　编
沈从文讲文物	沈从文　著　王　风　编
中国画的艺术	徐悲鸿　著　马小起　编
中国绘画史纲	傅抱石　著
中国舞蹈史话	常任侠　著
海上丝路与文化交流	常任侠　著
世界美术名作二十讲	傅　雷　著
中国画论体系及其批评	李长之　著
金石书画漫谈	启　功　著　赵仁珪　编
吞山怀谷 ——中国山水园林的艺术	汪菊渊　著
中国古代音乐与舞蹈	阴法鲁　著　刘玉才　编
梓翁说园	陈从周　著
旧戏新谈	黄　裳　著
民间年画十五讲	王树村　著　姜彦文　编
民间美术与民俗	王树村　著　姜彦文　编

长城史话	罗哲文　著
中国古园林概说	罗哲文　著
现代建筑奠基人	罗小未　著
世界桥梁趣谈	唐寰澄　著
如何欣赏一座桥	唐寰澄　著
桥梁的故事	唐寰澄　著
园林的意境	周维权　著
万方安和 ——皇家园林的故事	周维权　著
现代建筑的故事	吴焕加　著
中国古代建筑概说	傅熹年　著
国学救亡讲演录	章太炎　著　蒙　木　编
简易哲学纲要	蔡元培　著
大学教育	蔡元培　著 北大元培学院　编
老子、孔子、墨子及其学派	梁启超　著
中国政治思想史	吕思勉　著
天道与人文	竺可桢　著　施爱东　编

春秋战国思想史话	嵇文甫　著	
晚明思想史论	嵇文甫　著	
新人生论	冯友兰　著	
中国哲学与未来世界哲学	冯友兰　著	
谈美书简	朱光潜　著	
中国古代心理学思想	潘　菽　著	
民俗与迷信	江绍原　著	陈泳超　整理
佛教基本知识	周叔迦　著	
儒学述要	罗　庸　著	杜志勇　整理
希腊漫话	罗念生　著	
佛教常识答问	赵朴初　著	
大一统与儒家思想	杨向奎　著	
孔子的故事	李长之　著	
西洋哲学史	李长之　著	
乡土中国	费孝通　著	
社会调查自白	费孝通　著	
经学常谈	屈守元　著	
墨子与墨家	任继愈　著	
汉化佛教与佛寺	白化文　著	
中西之交	陈乐民　著	

出版说明

“大家小书”多是一代大家的经典著作，在还属于手抄的著述年代里，每个字都是经过作者精琢细磨之后所拣选的。为尊重作者写作习惯和遣词风格、尊重语言文字自身发展流变的规律，为读者提供一个可靠的版本，“大家小书”对于已经经典化的作品不进行现代汉语的规范化处理。

提请读者特别注意。

北京出版社